사고력 키우는 키우는 팩토 연산

C05

분수·소수의 덧셈과 뺄셈

매스티안

구성과 특징

1주 연산 원리 학습

붙임 딱지 등의 활동으로
연산 원리를 재미있게 체득

2주 연산 응용 학습

연산 원리를 응용한 문제를
풀어 보며 문제해결력 신장

정답

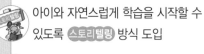

아이와 자연스럽게 학습을 시작할 수
있도록 스토리텔링 방식 도입

아이들이 배우는 연산 원리에 대한
학습가이드 제시

연산 실력 체크 진단 + 보충 온라인 보충 학습   온라인 활동지

2~4주차 사고력 연산을
학습하기 전에 연산 실력 체크

매스티안 홈페이지에서 제공하는
보충 학습으로 연산 원리 다지기

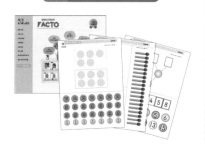

매스티안 홈페이지에서 제공하는
활동지로 사고력 연산 이해도 향상

4주 사고력 학습 2

연산 원리를 바탕으로 한 사고력 연산
문제를 풀어 보며 수학적 사고력과 창의력 향상

3주 사고력 학습 1

연산 원리를 바탕으로 한 사고력 연산
문제를 풀어 보며 수학적 사고력과 창의력 향상

· 3, 4주차 1일 학습 흐름 ·

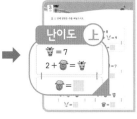

특정 주제를 쉬운 문제부터 목표 문제까지 차근차근
학습할 수 있도록 설계 되어 있어 자기주도학습 가능

✦ App Game 팩토 연산 SPEED UP

앱스토어에서 무료로 다운받은
팩토 연산 SPEED UP으로 덧셈, 뺄셈,
곱셈, 나눗셈의 연산 속도와 정확성 향상

✦ 부록 칭찬 붙임 딱지, 상장

학습 동기 부여를 위한
칭찬 붙임 딱지와 연산왕 상장

사고력을 키우는 **팩토 연산 시리즈**

 | 권장 학년 : 7세, 초1 |

권별	학습 주제	교과 연계
P01	10까지의 수	❶학년 1학기
P02	작은 수의 덧셈	❶학년 1학기
P03	작은 수의 뺄셈	❶학년 1학기
P04	작은 수의 덧셈과 뺄셈	❶학년 1학기
P05	50까지의 수	❶학년 1학기

 | 권장 학년 : 초1, 초2 |

권별	학습 주제	교과 연계
A01	100까지의 수	❶학년 2학기
A02	덧셈구구	❶학년 2학기
A03	뺄셈구구	❶학년 2학기
A04	(두 자리 수)+(한 자리 수)	❷학년 1학기
A05	(두 자리 수)−(한 자리 수)	❷학년 1학기

 | 권장 학년 : 초2, 초3 |

권별	학습 주제	교과 연계
B01	세 자리 수	❷학년 1학기
B02	(두 자리 수)+(두 자리 수)	❷학년 1학기
B03	(두 자리 수)−(두 자리 수)	❷학년 1학기
B04	곱셈구구	❷학년 2학기
B05	큰 수의 덧셈과 뺄셈	❸학년 1학기

C | 권장 학년 : 초3, 초4 |

권별	학습 주제	교과 연계
C01	나눗셈구구	❸학년 1학기
C02	두 자리 수의 곱셈	❸학년 2학기
C03	혼합 계산	❹학년 1학기
C04	큰 수의 곱셈과 나눗셈	❹학년 1학기
C05	분수·소수의 덧셈과 뺄셈	❹학년 1학기

C05 분수·소수의 덧셈과 뺄셈 | 목차

C05권에서는 분수와 소수의 개념을 익히고 분수와 소수의 덧셈과 뺄셈을 학습합니다.
진분수, 가분수, 대분수의 정의를 각각 구별하여 익히고 가분수를 대분수로, 대분수를 가분수로 바꾸는 학습을 합니다. 또한 자연수의 덧셈과 뺄셈에서 확장하여, 분모의 크기가 같은 분수와 소수의 덧셈과 뺄셈도 학습합니다.

1일차 | 진분수

 → $\dfrac{3}{4}$

주어진 그림의 전체에 대하여 색칠된 부분의 크기를 진분수로 나타내어 봅니다.

2일차 | 진분수의 덧셈과 뺄셈

$\dfrac{1}{4} + \dfrac{2}{4} = \dfrac{3}{4}$

분모의 크기가 같은 진분수의 덧셈과 뺄셈을 학습합니다.

학습관리표

일 자			소요 시간	틀린 문항 수	확인
❶ 일차	월	일	:		
❷ 일차	월	일	:		
❸ 일차	월	일	:		
❹ 일차	월	일	:		
❺ 일차	월	일	:		

1 주

진분수

🌷 붙이는 음식 조각의 크기를 분수로 나타내시오.

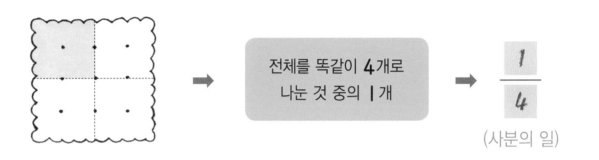

전체를 똑같이 **4**개로 나눈 것 중의 **1**개 → $\dfrac{1}{4}$

(사분의 일)

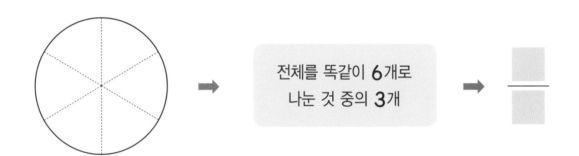

전체를 똑같이 **6**개로 나눈 것 중의 **3**개

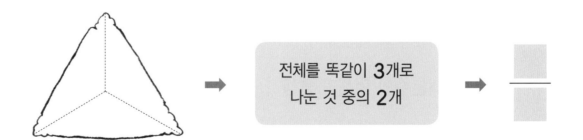

전체를 똑같이 **3**개로 나눈 것 중의 **2**개

😊 ⬜ 안에 알맞은 수를 써넣고 분수만큼 색칠하시오.

$\dfrac{3}{4}$ ➡ 전체를 똑같이 **4**개로 나눈 것 중의 ⬜ 개 ➡

(사분의 삼)

1
C05

$\dfrac{4}{6}$ ➡ 전체를 똑같이 **6**개로 나눈 것 중의 ⬜ 개 ➡

$\dfrac{1}{3}$ ➡ 전체를 똑같이 **3**개로 나눈 것 중의 ⬜ 개 ➡

오 전체에 대하여 색칠한 부분의 크기를 분수로 나타내시오.

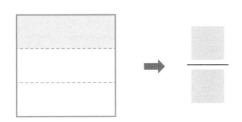

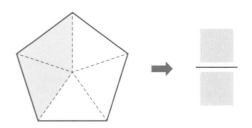

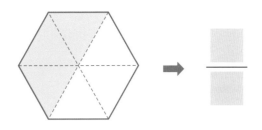

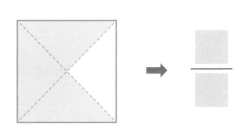

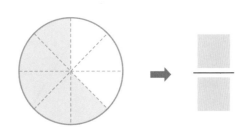

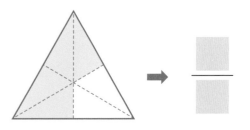

주어진 분수만큼 색칠해 보시오.

$\dfrac{2}{3}$ →

$\dfrac{4}{5}$ →

$\dfrac{5}{6}$ →

$\dfrac{2}{4}$ →

$\dfrac{3}{8}$ →

$\dfrac{2}{6}$ →

주어진 분수만큼 색칠하고 ⬤ 안에 >, <를 알맞게 써넣으시오.

$\dfrac{1}{3}$ ⬤< $\dfrac{2}{3}$

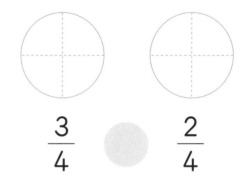

$\dfrac{3}{4}$ ⬤ $\dfrac{2}{4}$

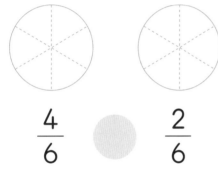

$\dfrac{4}{6}$ ⬤ $\dfrac{2}{6}$

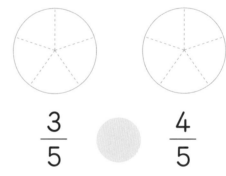

$\dfrac{3}{5}$ ⬤ $\dfrac{4}{5}$

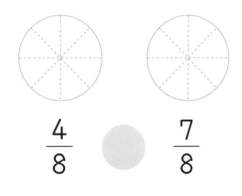

$\dfrac{4}{8}$ ⬤ $\dfrac{7}{8}$

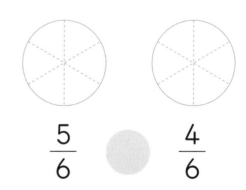

$\dfrac{5}{6}$ ⬤ $\dfrac{4}{6}$

1
C05

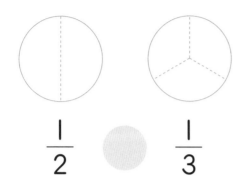

$$\frac{1}{2} \quad \bigcirc \quad \frac{1}{3}$$

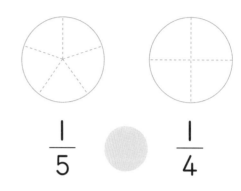

$$\frac{1}{5} \quad \bigcirc \quad \frac{1}{4}$$

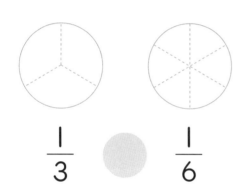

$$\frac{1}{3} \quad \bigcirc \quad \frac{1}{6}$$

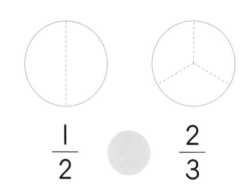

$$\frac{1}{2} \quad \bigcirc \quad \frac{2}{3}$$

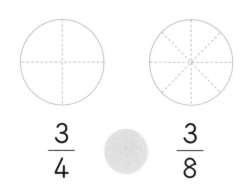

$$\frac{3}{4} \quad \bigcirc \quad \frac{3}{8}$$

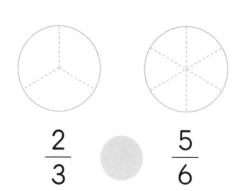

$$\frac{2}{3} \quad \bigcirc \quad \frac{5}{6}$$

진분수의 덧셈과 뺄셈

❦ 피자 조각을 붙이며 분수의 덧셈을 하시오.

준비물 ▶ 붙임 딱지

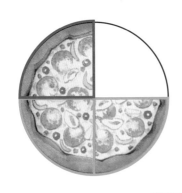

$$\frac{1}{4} + \frac{2}{4} = \frac{3}{4}$$

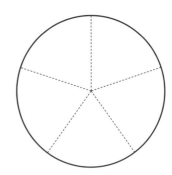

$$\frac{3}{5} + \frac{1}{5} = \frac{}{}$$

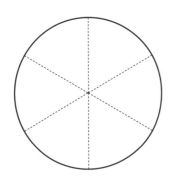

$$\frac{2}{6} + \frac{2}{6} = \frac{}{}$$

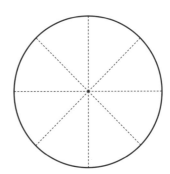

$$\frac{2}{8} + \frac{3}{8} = \frac{}{}$$

🌼 피자 조각을 ✖로 지우며 분수의 뺄셈을 하시오.

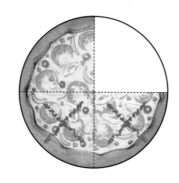

$$\frac{3}{4} - \frac{2}{4} = \frac{1}{4}$$

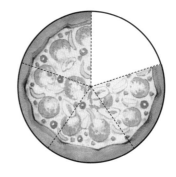

$$\frac{4}{5} - \frac{1}{5} = \frac{}{}$$

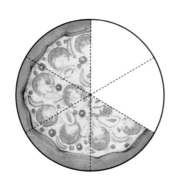

$$\frac{4}{6} - \frac{3}{6} = \frac{}{}$$

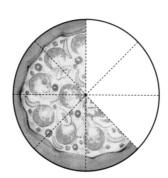

$$\frac{5}{8} - \frac{2}{8} = \frac{}{}$$

1 C05

🔎 도형을 알맞게 색칠하며 분수의 덧셈을 하시오.

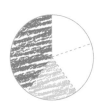

$$\frac{2}{5} + \frac{1}{5} = \frac{\ }{\ }$$

$$\frac{1}{5} + \frac{3}{5} = \frac{\ }{\ }$$

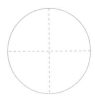

$$\frac{1}{4} + \frac{1}{4} = \frac{\ }{\ }$$

$$\frac{2}{6} + \frac{1}{6} = \frac{\ }{\ }$$

$$\frac{2}{7} + \frac{3}{7} = \frac{\ }{\ }$$

$$\frac{4}{8} + \frac{3}{8} = \frac{\ }{\ }$$

🌼 색칠한 부분을 ✕로 지우며 분수의 뺄셈을 하시오.

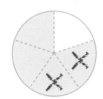

$$\frac{4}{5} - \frac{2}{5} = \frac{}{}$$

$$\frac{4}{5} - \frac{3}{5} = \frac{}{}$$

$$\frac{3}{4} - \frac{1}{4} = \frac{}{}$$

$$\frac{5}{6} - \frac{2}{6} = \frac{}{}$$

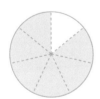

$$\frac{6}{7} - \frac{2}{7} = \frac{}{}$$

$$\frac{5}{8} - \frac{3}{8} = \frac{}{}$$

♀ 진분수의 덧셈과 뺄셈을 하시오.

$$\overset{\overset{\text{I + 3}}{}}{\dfrac{1}{5}} + \dfrac{3}{5} = \dfrac{4}{5}$$

그대로

$$\dfrac{1}{3} + \dfrac{1}{3} = \dfrac{}{}$$

$$\dfrac{1}{5} + \dfrac{2}{5} = \dfrac{}{}$$

$$\dfrac{2}{4} + \dfrac{1}{4} = \dfrac{}{}$$

$$\dfrac{2}{7} + \dfrac{3}{7} = \dfrac{}{}$$

$$\dfrac{3}{8} + \dfrac{4}{8} = \dfrac{}{}$$

$$\dfrac{1}{6} + \dfrac{4}{6} = \dfrac{}{}$$

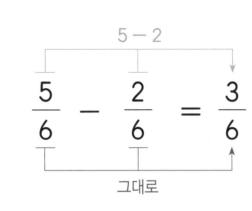

$$\frac{5}{6} - \frac{2}{6} = \frac{3}{6}$$

5 − 2

그대로

1
C05

$$\frac{2}{3} - \frac{1}{3} = \frac{}{}$$

$$\frac{3}{4} - \frac{1}{4} = \frac{}{}$$

$$\frac{5}{7} - \frac{2}{7} = \frac{}{}$$

$$\frac{5}{6} - \frac{3}{6} = \frac{}{}$$

$$\frac{3}{5} - \frac{2}{5} = \frac{}{}$$

$$\frac{6}{8} - \frac{5}{8} = \frac{}{}$$

오늘은 얼마나 잘했을까요?
칭찬 붙임 딱지를
붙여 주세요!

가분수와 대분수

🌷 피자 조각을 붙이고 가분수로 나타내시오.

준비물 ▶ 붙임 딱지

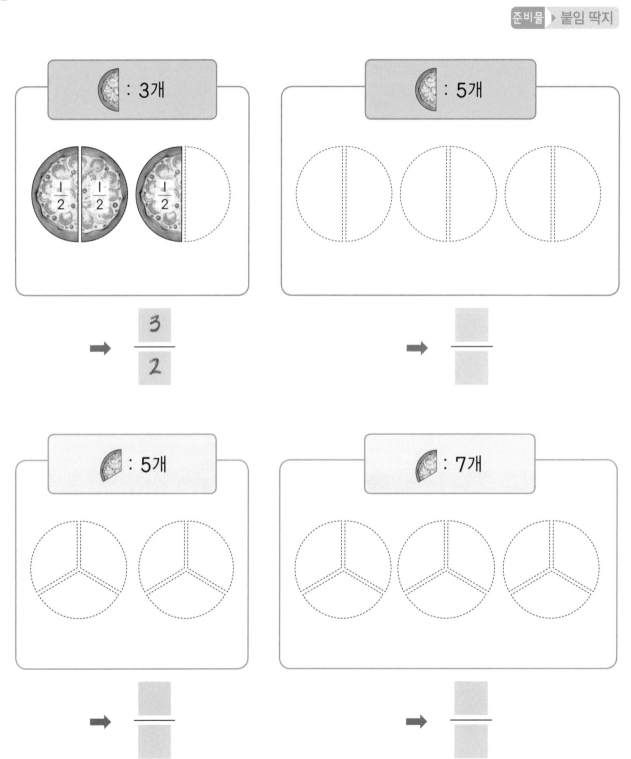

피자 조각을 붙이고 대분수로 나타내시오.

준비물 ▶ 붙임 딱지

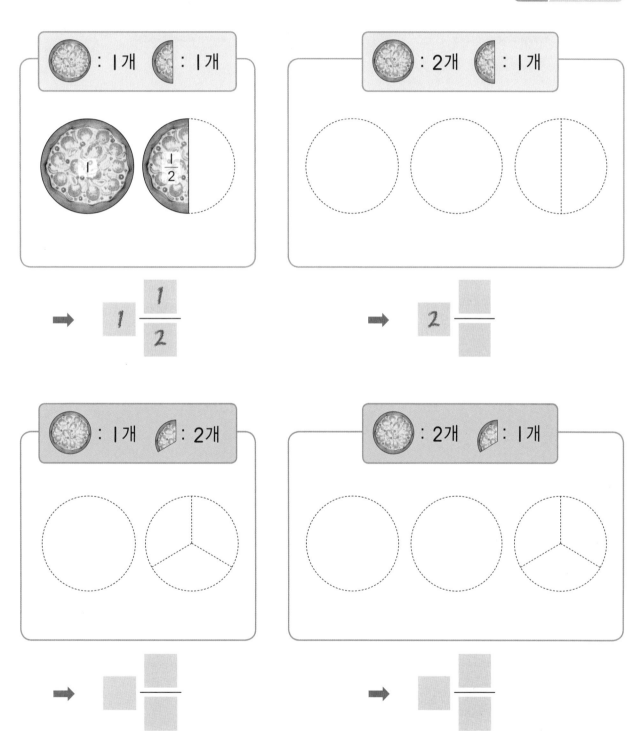

○ 주어진 가분수만큼 색칠하고, 대분수로 나타내시오.

$\dfrac{3}{2}$ ⟶ ◗이 3개 ⟶ ●이 1개 / ◗이 1개 ⟶ $1\dfrac{}{}$

$\dfrac{7}{3}$ ⟶ ◖이 7개 ⟶ ●이 2개 / ◖이 1개 ⟶ $2\dfrac{}{}$

$\dfrac{6}{4}$ ⟶ ◕이 6개 ⟶ ●이 1개 / ◕이 2개 ⟶ $\dfrac{}{}$

$\dfrac{13}{5}$ ⟶ ◖이 13개 ⟶ ●이 2개 / ◖이 3개 ⟶ $\dfrac{}{}$

🌱 가분수를 대분수로 나타내시오.

$\dfrac{4}{3}$ = ☐ $\dfrac{5}{3}$ = ☐ $\dfrac{7}{4}$ = ☐

$\dfrac{8}{5}$ = ☐ $\dfrac{6}{4}$ = ☐ $\dfrac{9}{6}$ = ☐

$\dfrac{8}{3}$ = ☐ $\dfrac{10}{8}$ = ☐ $\dfrac{7}{2}$ = ☐

$\dfrac{11}{6}$ = ☐ $\dfrac{10}{4}$ = ☐ $\dfrac{12}{7}$ = ☐

주어진 대분수만큼 색칠하고, 가분수로 나타내시오.

$1\dfrac{1}{3}$ ⟶ ◯이 1개 / ◻이 1개 ⟶ ◻이 4개 ⟶ $\dfrac{}{}$

$2\dfrac{1}{3}$ ⟶ ◯이 2개 / ◻이 1개 ⟶ ◻이 7개 ⟶ $\dfrac{}{}$

$2\dfrac{3}{4}$ ⟶ ◯이 2개 / ◻이 3개 ⟶ ◻이 11개 ⟶ $\dfrac{}{}$

$1\dfrac{2}{5}$ ⟶ ◯이 1개 / ◻이 2개 ⟶ ◻이 7개 ⟶ $\dfrac{}{}$

🌸 대분수를 가분수로 나타내시오.

$1\dfrac{2}{3} = $ ☐ $1\dfrac{1}{4} = $ ☐ $1\dfrac{3}{5} = $ ☐

$1\dfrac{3}{4} = $ ☐ $1\dfrac{2}{7} = $ ☐ $1\dfrac{1}{6} = $ ☐

$3\dfrac{1}{2} = $ ☐ $2\dfrac{1}{3} = $ ☐ $2\dfrac{3}{4} = $ ☐

$1\dfrac{1}{8} = $ ☐ $2\dfrac{1}{5} = $ ☐ $2\dfrac{4}{5} = $ ☐

대분수의 덧셈과 뺄셈

일차

🌷 피자 조각을 붙이며 대분수의 덧셈을 하시오.

준비물 ▶ 붙임 딱지

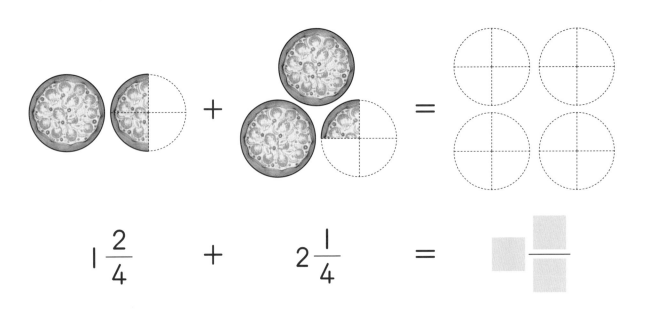

$$1\frac{2}{4} \quad + \quad 2\frac{1}{4} \quad = \quad \boxed{}\,\frac{\boxed{}}{\boxed{}}$$

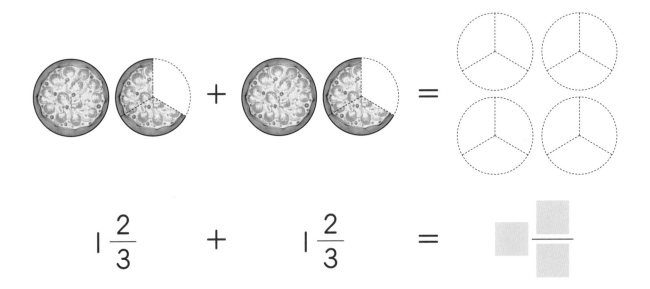

$$1\frac{2}{3} \quad + \quad 1\frac{2}{3} \quad = \quad \boxed{}\,\frac{\boxed{}}{\boxed{}}$$

🌼 피자 조각을 ✗로 지우며 대분수의 뺄셈을 하시오.

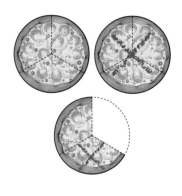

$$2\frac{2}{3} - 1\frac{1}{3} = \boxed{}\frac{\boxed{}}{\boxed{}}$$

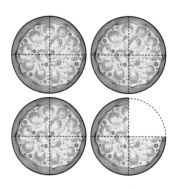

$$3\frac{3}{4} - 1\frac{1}{4} = \boxed{}\frac{\boxed{}}{\boxed{}}$$

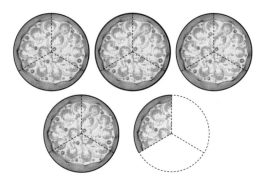

$$4\frac{1}{3} - 1\frac{2}{3} = \boxed{}\frac{\boxed{}}{\boxed{}}$$

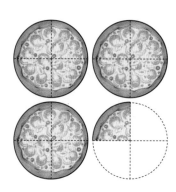

$$3\frac{1}{4} - 1\frac{3}{4} = \boxed{}\frac{\boxed{}}{\boxed{}}$$

○ 대분수의 덧셈과 뺄셈을 하시오.

$$1\frac{2}{5} + 2\frac{4}{5} = 3 + \frac{6}{5} = 4\frac{1}{5}$$

$$2\frac{1}{3} + 1\frac{1}{3} = \boxed{}\frac{\boxed{}}{\boxed{}}$$

$$3\frac{4}{7} + 2\frac{1}{7} = \boxed{}\frac{\boxed{}}{\boxed{}}$$

$$4\frac{3}{6} + 3\frac{2}{6} = \boxed{}\frac{\boxed{}}{\boxed{}}$$

$$2\frac{4}{5} + 1\frac{3}{5} = \boxed{}\frac{\boxed{}}{\boxed{}}$$

$$1\frac{2}{3} + 3\frac{2}{3} = \boxed{}\frac{\boxed{}}{\boxed{}}$$

$$5\frac{2}{4} + 3\frac{3}{4} = \boxed{}\frac{\boxed{}}{\boxed{}}$$

$$3\frac{1}{4} - 1\frac{2}{4} = 2\frac{5}{4} - 1\frac{2}{4} = 1\frac{3}{4}$$

2 − 1

$\frac{5}{4} - \frac{2}{4}$

$$3\frac{3}{4} - 2\frac{1}{4} = \boxed{\ }\frac{\boxed{\ }}{\boxed{\ }}$$

$$6\frac{4}{5} - 1\frac{3}{5} = \boxed{\ }\frac{\boxed{\ }}{\boxed{\ }}$$

$$5\frac{5}{6} - 3\frac{2}{6} = \boxed{\ }\frac{\boxed{\ }}{\boxed{\ }}$$

$$5\frac{2}{7} - 1\frac{3}{7} = \boxed{\ }\frac{\boxed{\ }}{\boxed{\ }}$$

$$4\frac{1}{3} - 1\frac{2}{3} = \boxed{\ }\frac{\boxed{\ }}{\boxed{\ }}$$

$$7\frac{1}{4} - 2\frac{3}{4} = \boxed{\ }\frac{\boxed{\ }}{\boxed{\ }}$$

대분수의 덧셈과 뺄셈을 하시오.

$$3\frac{1}{4} + 2\frac{1}{4} = \boxed{}$$

$$2\frac{1}{5} + 1\frac{2}{5} = \boxed{}$$

$$1\frac{3}{6} + 3\frac{1}{6} = \boxed{}$$

$$3\frac{2}{7} + 4\frac{2}{7} = \boxed{}$$

$$2\frac{2}{3} + 3\frac{2}{3} = \boxed{}$$

$$1\frac{3}{5} + 1\frac{4}{5} = \boxed{}$$

$$6\frac{4}{8} + 2\frac{3}{8} = \boxed{}$$

$$2\frac{4}{6} + 4\frac{5}{6} = \boxed{}$$

$$2\frac{3}{4} + 1\frac{3}{4} = \boxed{}$$

$$4\frac{4}{7} + 3\frac{6}{7} = \boxed{}$$

$$4\frac{2}{4} - 2\frac{1}{4} = \boxed{}$$

$$7\frac{4}{5} - 1\frac{2}{5} = \boxed{}$$

$$6\frac{5}{7} - 5\frac{2}{7} = \boxed{}$$

$$5\frac{7}{9} - 1\frac{3}{9} = \boxed{}$$

$$4\frac{1}{3} - 1\frac{2}{3} = \boxed{}$$

$$7\frac{2}{4} - 2\frac{3}{4} = \boxed{}$$

$$9\frac{1}{5} - 2\frac{4}{5} = \boxed{}$$

$$6\frac{3}{7} - 4\frac{6}{7} = \boxed{}$$

$$3\frac{2}{6} - 1\frac{4}{6} = \boxed{}$$

$$5\frac{1}{8} - 2\frac{5}{8} = \boxed{}$$

1
C05

소수의 덧셈과 뺄셈

5 일차

🌷 자를 붙이며 분수를 소수로 나타내시오.

준비물 ▶ 붙임 딱지

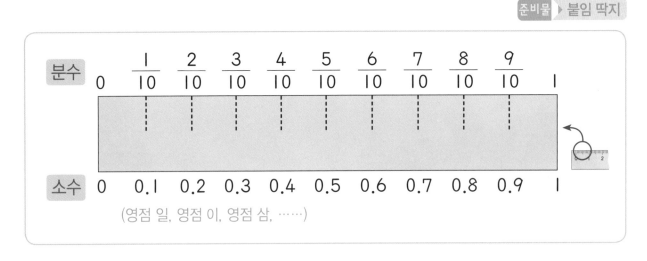

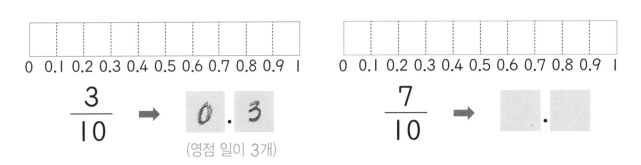

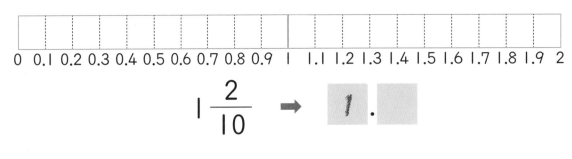

주어진 분수만큼 색칠하고, 소수로 나타내시오.

$$\frac{1}{100} = 0.01$$
(영점 영일)

0.01
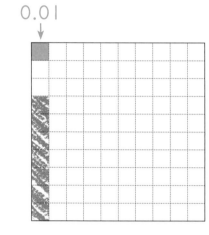

$\dfrac{7}{100}$ → 0.

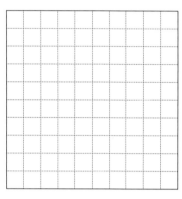

$\dfrac{15}{100}$ →

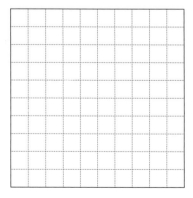

$\dfrac{42}{100}$ →

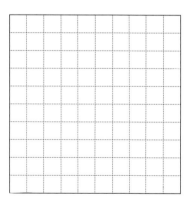

$\dfrac{65}{100}$ →

오 소수의 덧셈과 뺄셈을 하시오.

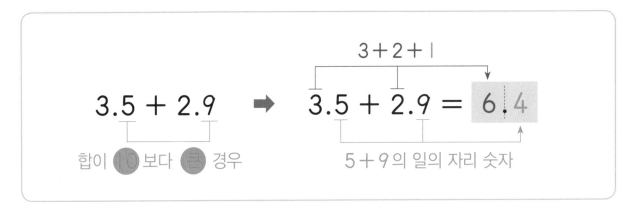

$$3 + 1$$
$$3.7 + 0.5 = \boxed{4.\,}$$
7+5의 일의 자리 숫자

$$1 + 2 + 1$$
$$1.8 + 2.7 = \boxed{}$$
8+7의 일의 자리 숫자

$$0.9 + 0.8 = \boxed{}$$

$$2.9 + 2.3 = \boxed{}$$

$$1.7 + 4.7 = \boxed{}$$

$$6.6 + 2.5 = \boxed{}$$

$$4.5 + 0.9 = \boxed{}$$

$$3.5 + 3.8 = \boxed{}$$

$$4 - 2 - 1$$

$$4.5 - 2.9 \qquad \Rightarrow \qquad 4.5 - 2.9 = 1.6$$

$$15 - 9$$

앞의 수가 ● 경우

$$4 - 1 - 1$$

$$4.3 - 1.9 = 2.$$

$$13 - 9$$

$$5 - 2 - 1$$

$$5.2 - 2.7 =$$

$$12 - 7$$

$$3.5 - 0.8 =$$

$$4.2 - 3.4 =$$

$$6.4 - 2.9 =$$

$$7.3 - 1.6 =$$

$$1.1 - 0.7 =$$

$$9.2 - 2.3 =$$

5 일차

✿ 소수점의 자리를 맞추어 덧셈과 뺄셈을 하시오.

```
    □  1              1  1              1  1
   2.5  9           2.5  9           2.5  9
 + 1.7  6     →   + 1.7  6     →   + 1.7  6
 ───────         ───────         ───────
        5           │ 3 │ 5        4 . 3 │ 5
```

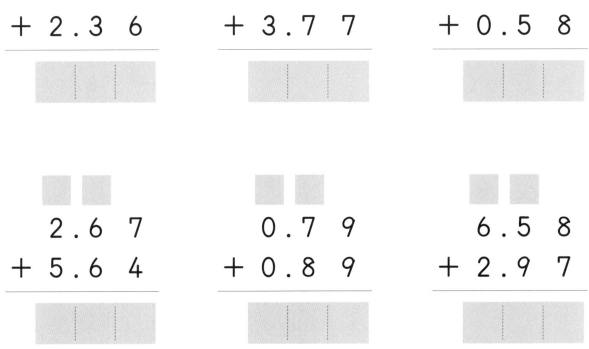

```
  □   □             □   □             □   □
  1.8  5            2.4  3            3.8  4
+ 2.3  6          + 3.7  7          + 0.5  8
─────────         ─────────         ─────────
  │   │             │   │             │   │
```

```
  □   □             □   □             □   □
  2.6  7            0.7  9            6.5  8
+ 5.6  4          + 0.8  9          + 2.9  7
─────────         ─────────         ─────────
  │   │             │   │             │   │
```

1 C05

		3	10
	3 . 4̸	2	
−	1 . 8	9	
			3

➡

	2	13	10
	3̸ . 4̸	2	
−	1 . 8	9	
		5	3

➡

	2	13	10
	3̸ . 4̸	2	
−	1 . 8	9	
	1 . 5	3	

```
   6 . 2  1
 − 2 . 8  9
 ─────────
```

```
   4 . 1  2
 − 0 . 6  8
 ─────────
```

```
   3 . 5  4
 − 1 . 7  9
 ─────────
```

```
   5 . 2  6
 − 3 . 5  9
 ─────────
```

```
   8 . 4  2
 − 5 . 9  4
 ─────────
```

```
   7 . 3  5
 − 2 . 4  6
 ─────────
```

오늘은 얼마나 잘했을까요?
칭찬 붙임 딱지를
붙여 주세요!

🐣 2~4주 사고력 연산을 학습하기 전에 기본 연산 실력을 점검해 보세요.

🌷 그림을 분수로 나타내거나, 안
에 >, <를 알맞게 써넣으시오.

🌻 대분수는 가분수로, 가분수는
대분수로 나타내어 보시오.

1.

7. $\dfrac{7}{2} =$

2.

8. $\dfrac{5}{3} =$

3.

9. $\dfrac{8}{5} =$

4. $\dfrac{2}{5} \bigcirc \dfrac{4}{5}$

10. $1\dfrac{1}{4} =$

5. $\dfrac{1}{2} \bigcirc \dfrac{1}{3}$

11. $2\dfrac{1}{3} =$

6. $\dfrac{2}{5} \bigcirc \dfrac{2}{3}$

12. $1\dfrac{4}{5} =$

○ 계산을 하시오.

13. $\dfrac{1}{3} + \dfrac{1}{3} = $

19. $\dfrac{3}{4} + \dfrac{2}{4} = $

14. $\dfrac{3}{5} + \dfrac{1}{5} = $

20. $\dfrac{4}{5} + \dfrac{4}{5} = $

15. $\dfrac{2}{7} + \dfrac{3}{7} = $

21. $1\dfrac{1}{3} + 2\dfrac{1}{3} = $

16. $\dfrac{3}{4} - \dfrac{2}{4} = $

22. $2\dfrac{2}{7} + 2\dfrac{4}{7} = $

17. $\dfrac{4}{6} - \dfrac{1}{6} = $

23. $1\dfrac{4}{5} + 1\dfrac{3}{5} = $

18. $\dfrac{5}{7} - \dfrac{3}{7} = $

24. $2\dfrac{5}{8} + 3\dfrac{6}{8} = $

25. $4\frac{2}{3} - \frac{1}{3} = $ ☐

26. $3\frac{3}{4} - 2\frac{1}{4} = $ ☐

27. $6\frac{5}{7} - 4\frac{2}{7} = $ ☐

28. $8\frac{5}{6} - 2\frac{3}{6} = $ ☐

29. $4\frac{1}{5} - 1\frac{2}{5} = $ ☐

30. $5\frac{2}{6} - 3\frac{4}{6} = $ ☐

31. $3.4 + 2.9 = $ ☐

32. $1.7 + 6.5 = $ ☐

33. $4.7 - 3.3 = $ ☐

34. $6.2 - 1.8 = $ ☐

35. $8.4 - 5.9 = $ ☐

36.
$$\begin{array}{r} 2.4\ 6 \\ +\ 1.2\ 5 \\ \hline \end{array}$$

37.
$$\begin{array}{r} 4.5\ 8 \\ +\ 1.7\ 9 \\ \hline \end{array}$$

38.
```
  4.7 9
- 1.3 2
```

39.
```
  3.1 4
- 1.0 9
```

40.
```
  6.4 1
- 2.8 7
```

연산 실력 분석

오답 수에 맞게 학습을 진행하시기 바랍니다.

평가	오답 수	학습 방법
최고예요	0 ~ 2개	전반적으로 학습 내용에 대해 정확히 이해하고 있으며 매우 우수합니다. 기본 연산 문제를 자신 있게 풀 수 있는 실력을 갖추었으므로 이제는 사고력을 향상시킬 차례입니다. 2주차부터 차근차근 학습을 진행해 보세요. 학습 [2주차] → [3주차] → [4주차]
잘했어요	3 ~ 4개	기본 연산 문제를 전반적으로 잘 이해하고 풀었지만 약간의 실수가 있는 것 같습니다. 틀린 문제를 다시 한 번 풀어 보고, 문제를 차근차근 푸는 습관을 갖도록 노력해 보세요. 매스티안 홈페이지에서 제공하는 보충 학습으로 연산 실력을 향상시킨 후 2, 3, 4주차 학습을 진행해 주세요. 학습 [틀린 문제 복습] → [보충 학습] → [2주차] → …
노력해요	5개 이상	개념을 정확하게 이해하고 있지 않아 연산을 하는데 어려움이 있습니다. 개념을 이해하고 연산 문제를 반복해서 연습해 보세요. 매스티안 홈페이지에서 제공하는 보충 학습이 연산 실력을 향상시키는데 도움이 될 것입니다. 여러분도 곧 연산왕이 될 수 있습니다. 조금만 힘을 내 주세요. 학습 [1주차 원리 중심 복습] → [보충 학습] → [2주차] → …

매스티안 홈페이지 : www.mathtian.com

학습관리표

일 자			소요 시간	틀린 문항 수	확인
❶ 일차	월	일	:		
❷ 일차	월	일	:		
❸ 일차	월	일	:		
❹ 일차	월	일	:		
❺ 일차	월	일	:		

2주

❀ 점을 이용하여 똑같은 모양으로 주어진 개수만큼 나누어 보시오.

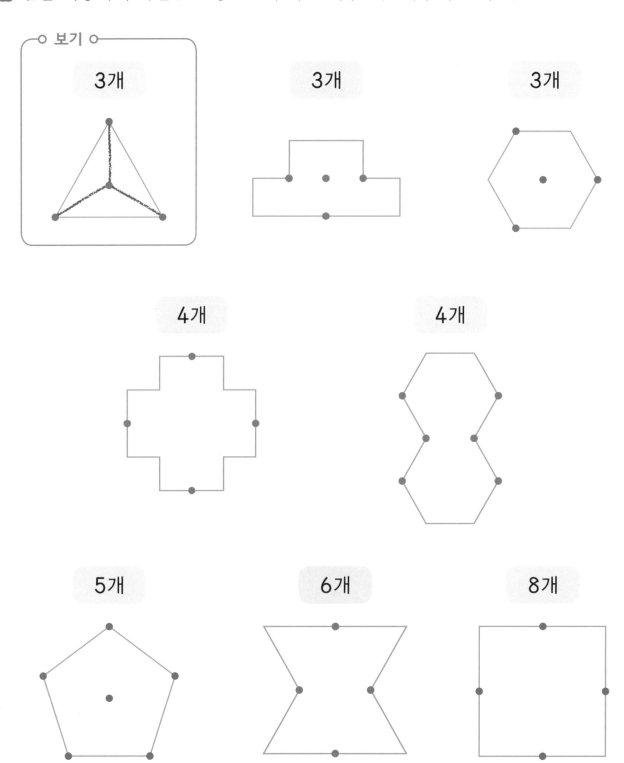

점선을 이용하여 똑같은 모양으로 주어진 개수만큼 나누어 보시오.

2개

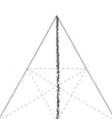

3개

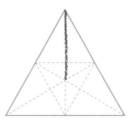

4개

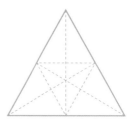

2개

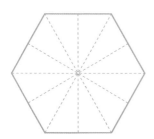

3개

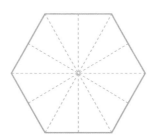

4개

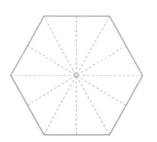

2개

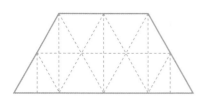

3개

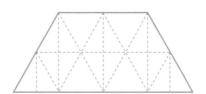

4개

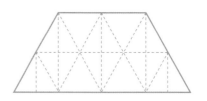

모양과 크기가 같은 **4**개의 도형으로 나누어 보시오.

준비물 ▶ 자

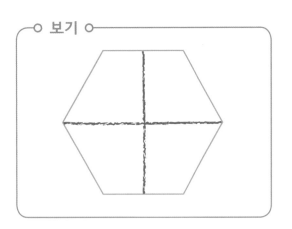

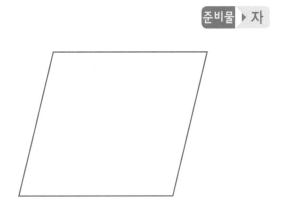

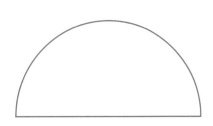

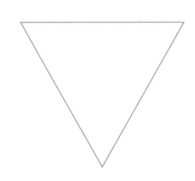

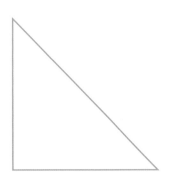

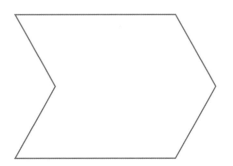

🌸 모양과 크기가 같은 **4**개의 도형으로 나누어 보시오. (단, 돌리거나 뒤집었을 때 겹쳐지는 것은 같은 모양으로 봅니다.)

분수 나타내기

🌷 색칠한 부분을 보고 분수로 나타내시오.

준비물 ▶ 자

○ 보기 ○

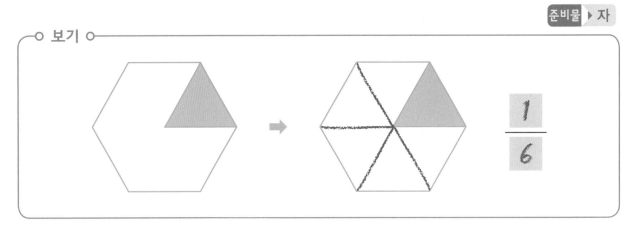

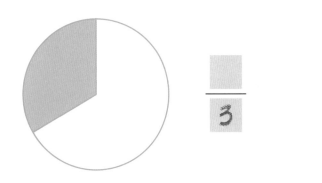

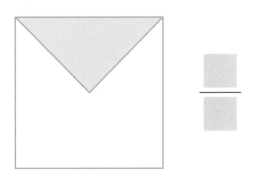

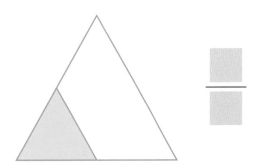

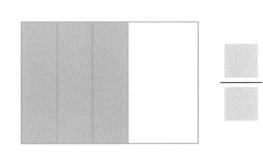

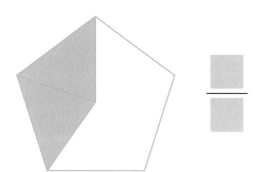

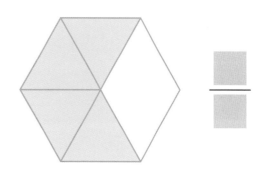

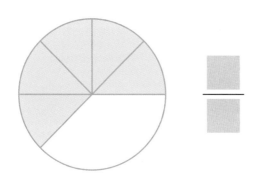

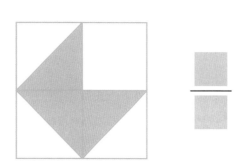

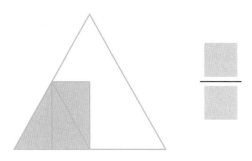

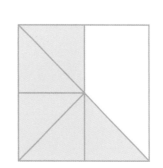

2

일차

하늘색과 흰색 부분의 크기를 각각 분수로 나타낸 것을 찾아 ◯표 하시오.

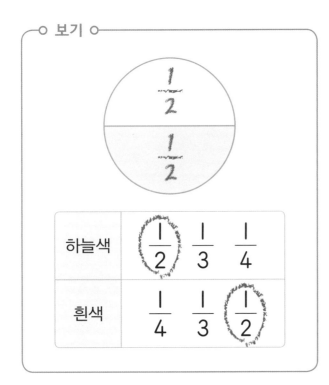

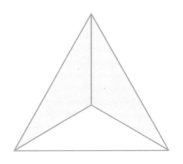

하늘색	$\dfrac{2}{3}$	$\dfrac{2}{4}$	$\dfrac{2}{2}$
흰색	$\dfrac{1}{2}$	$\dfrac{1}{3}$	$\dfrac{1}{4}$

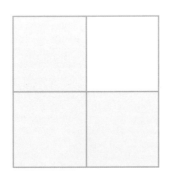

하늘색	$\dfrac{3}{5}$	$\dfrac{3}{4}$	$\dfrac{3}{3}$
흰색	$\dfrac{1}{3}$	$\dfrac{1}{4}$	$\dfrac{1}{5}$

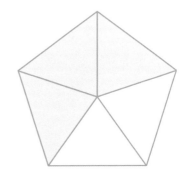

하늘색	$\dfrac{3}{5}$	$\dfrac{2}{5}$	$\dfrac{3}{4}$
흰색	$\dfrac{3}{5}$	$\dfrac{2}{5}$	$\dfrac{2}{6}$

🌸 관계있는 것끼리 연결하고 알맞게 색칠하시오.

3 일차

분수의 크기 비교

🌷 주어진 분수만큼 나누어 색칠하고 ◯ 안에 >, <를 알맞게 써넣으시오.

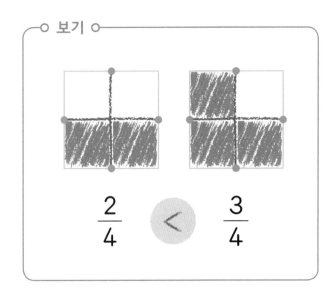

○ 보기 ○

$$\frac{2}{4} \;<\; \frac{3}{4}$$

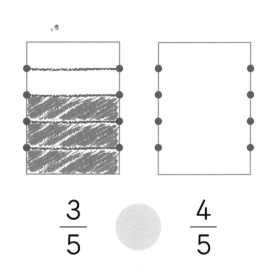

$$\frac{3}{5} \;\bigcirc\; \frac{4}{5}$$

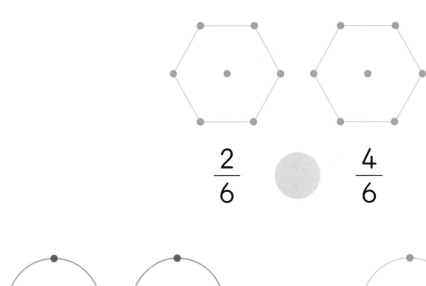

$$\frac{2}{6} \;\bigcirc\; \frac{4}{6}$$

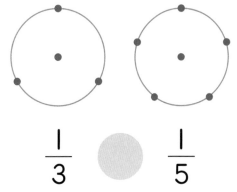

$$\frac{1}{3} \;\bigcirc\; \frac{1}{5}$$

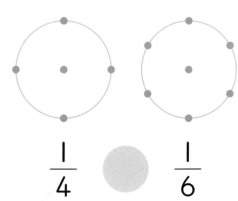

$$\frac{1}{4} \;\bigcirc\; \frac{1}{6}$$

2
C05

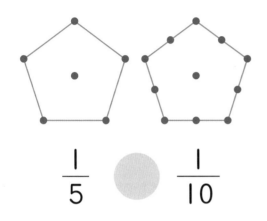

$$\frac{1}{5} \qquad \bigcirc \qquad \frac{1}{10}$$

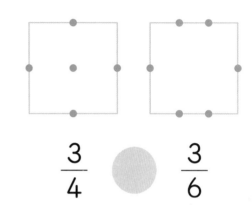

$$\frac{3}{4} \qquad \bigcirc \qquad \frac{3}{6}$$

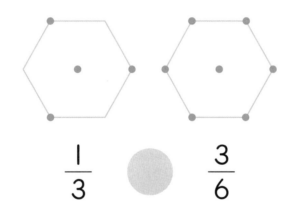

$$\frac{1}{3} \qquad \bigcirc \qquad \frac{3}{6}$$

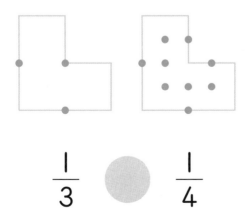

$$\frac{1}{3} \qquad \bigcirc \qquad \frac{1}{4}$$

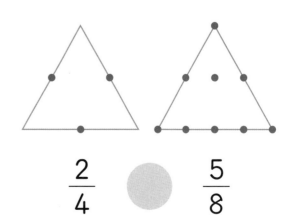

$$\frac{2}{4} \qquad \bigcirc \qquad \frac{5}{8}$$

분수만큼 색칠하여 크기가 큰 순서대로 쓰고, 알맞은 말에 ◯표 하시오.

─○ 보기 ○─

$$\dfrac{1}{2} \qquad \dfrac{1}{3} \qquad \dfrac{1}{4} \qquad \dfrac{1}{5}$$

$$\dfrac{1}{2} > \dfrac{1}{3} > \dfrac{1}{4} > \dfrac{1}{5}$$

➡ 분자가 같은 경우에는 분모가 (클수록 , (작을수록)) 큽니다.

$$\dfrac{2}{3} \qquad \dfrac{2}{4} \qquad \dfrac{2}{5} \qquad \dfrac{2}{6}$$

$$\dfrac{}{} > \dfrac{}{} > \dfrac{}{} > \dfrac{}{}$$

➡ 분자가 같은 경우에는 분모가 (클수록 , 작을수록) 큽니다.

$$\dfrac{1}{5} \qquad \dfrac{2}{5} \qquad \dfrac{3}{5} \qquad \dfrac{4}{5}$$

$$\dfrac{}{} > \dfrac{}{} > \dfrac{}{} > \dfrac{}{}$$

➡ 분모가 같은 경우에는 분자가 (클수록 , 작을수록) 큽니다.

갈림길에서 푯말의 조건에 알맞게 길을 따라가시오.

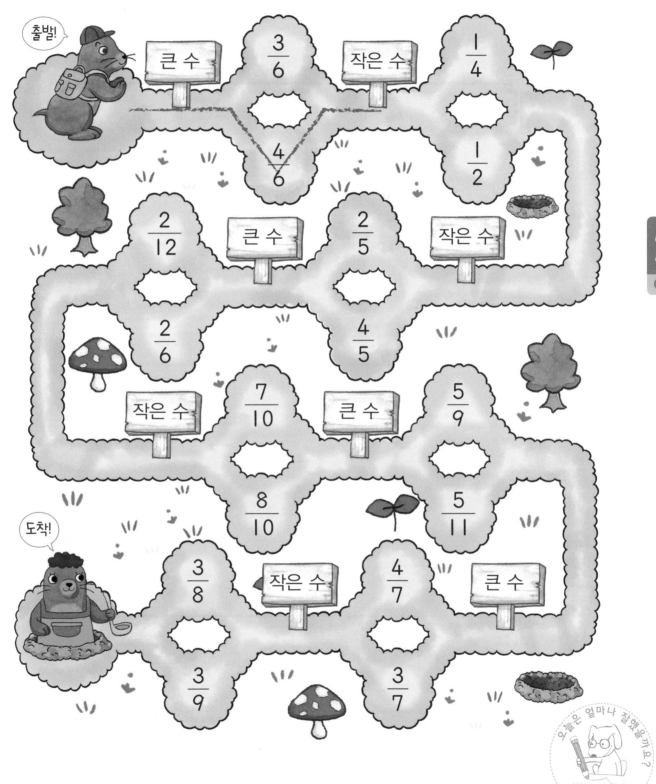

수직선 셈

🌷 수직선을 보고, ▨ 안에 알맞은 수를 써넣으시오.

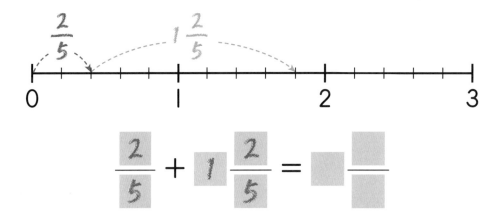

$$\frac{2}{5} + 1\frac{2}{5} = \boxed{}\frac{\boxed{}}{\boxed{}}$$

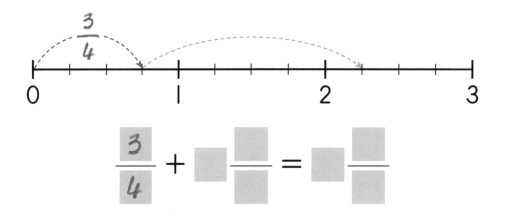

$$\frac{3}{4} + \boxed{}\frac{\boxed{}}{\boxed{}} = \boxed{}\frac{\boxed{}}{\boxed{}}$$

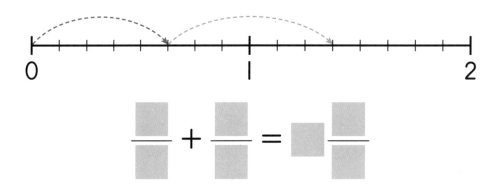

$$\frac{\boxed{}}{\boxed{}} + \frac{\boxed{}}{\boxed{}} = \boxed{}\frac{\boxed{}}{\boxed{}}$$

2
C05

$$3\frac{3}{4} - 1\frac{1}{4} = \boxed{}\frac{\boxed{}}{\boxed{}}$$

$$\boxed{}\frac{\boxed{}}{\boxed{}} - \frac{\boxed{}}{\boxed{}} = \boxed{}\frac{\boxed{}}{\boxed{}}$$

$$\boxed{} - \boxed{}\frac{\boxed{}}{\boxed{}} = \boxed{}\frac{\boxed{}}{\boxed{}}$$

👤 식에 맞게 수직선에 나타내고, ▨ 안에 알맞은 수를 써넣으시오.

$$1\dfrac{2}{5} + 2\dfrac{4}{5} = \boxed{}\dfrac{\boxed{}}{\boxed{}}$$

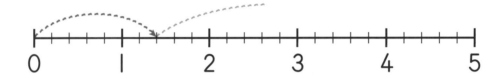

$$2\dfrac{3}{6} + 1\dfrac{2}{6} = \boxed{}\dfrac{\boxed{}}{\boxed{}}$$

$$5\dfrac{3}{6} - 2\dfrac{5}{6} = \boxed{}\dfrac{\boxed{}}{\boxed{}}$$

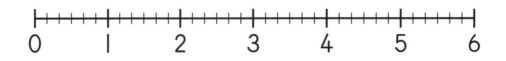

계산 결과와 같은 칸에 주어진 글자를 써넣고 수수께끼를 풀어 보시오.

국 $\dfrac{6}{8} + \dfrac{7}{8} =$ $1\dfrac{5}{8}$

$4\dfrac{2}{3} - 1\dfrac{1}{3} =$ 　　을

우 $3\dfrac{4}{5} + \dfrac{2}{5} =$

$7\dfrac{5}{6} - 3\dfrac{1}{6} =$ 　　?

면 $1\dfrac{1}{6} + 4\dfrac{3}{6} =$

$5 - 2\dfrac{5}{7} =$ 　　사

책 $2\dfrac{3}{4} + 6\dfrac{3}{4} =$

$3\dfrac{2}{8} - 1\dfrac{7}{8} =$ 　　태

2
C05

앗~
뜨거워~

수수께끼

$1\dfrac{5}{8}$	$2\dfrac{2}{7}$	$9\dfrac{2}{4}$	$3\dfrac{1}{3}$
국			

$1\dfrac{3}{8}$	$4\dfrac{1}{5}$	$5\dfrac{4}{6}$	$4\dfrac{4}{6}$

답 ➡

5
일차

소수의 표현

🌷 규칙을 찾아 현재 소수 표현 방법 또는 스테빈의 소수 표현 방법으로 나타내시오.

스테빈의 소수

현재 소수	스테빈의 소수	현재 소수	스테빈의 소수
0.5 →	5①	0.75 →	7①5②
2.4 →	2⓪4①	3.91 →	3⓪9①1②

9① → ☐

4①8② → ☐

3⓪7① → ☐

8⓪4① → ☐

5⓪9①6② → ☐

61⓪9① → ☐

2
C05

0.8 ➡

0.25 ➡

4.7 ➡

6.9 ➡

5.68 ➡

8.42 ➡

10.52 ➡

19.84 ➡

🌸 규칙을 찾아 현재 소수 표현을 뷔르기의 소수 표현 방법으로 나타내시오.

뷔르기의 소수

현재 소수	뷔르기의 소수		현재 소수	뷔르기의 소수
0.9 →	0.9		0.42 →	0.4.2
6.33 →	6.3.3		18.27 →	18.2.7

0.16 →

0.56 →

7.4 →

8.9 →

17.56 →

28.48 →

🌱 주어진 가로 · 세로 열쇠를 보고 퍼즐을 완성하시오.

①		㉠			④		㉣
0	.	4	5				
				㉡		㉢	
②							
				⑤			
	③						

가로 열쇠

① 0.23 + 0.22 = 0.45

② 0.85 + 0.78

③ 8.9 + 5.8

④ 5.65 + 2.25

⑤ 1.96 + 1.85

세로 열쇠

㉠ 5.23 − 0.27

㉡ 1.12 − 0.75

㉢ 7.39 − 1.53

㉣ 11 − 1.1

2
C05

오늘은 얼마나 잘했을까요?
칭찬 붙임 딱지를
붙여 주세요!

학습관리표

일 자			소요 시간	틀린 문항 수	확인
❶ 일차	월	일	:		
❷ 일차	월	일	:		
❸ 일차	월	일	:		
❹ 일차	월	일	:		
❺ 일차	월	일	:		

3주

1 일차

분수 나타내기

🌷 그림을 보고 ▨ 안에 알맞은 수를 써넣으시오.

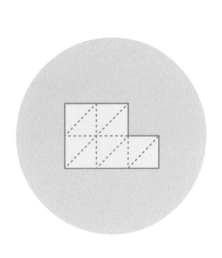

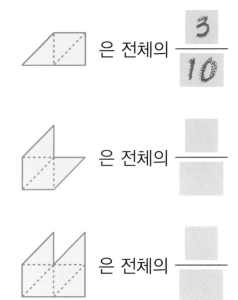

은 전체의 $\dfrac{3}{10}$

은 전체의 $\dfrac{}{}$

은 전체의 $\dfrac{}{}$

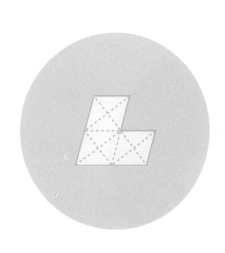

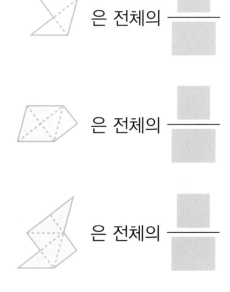

은 전체의 $\dfrac{}{}$

은 전체의 $\dfrac{}{}$

은 전체의 $\dfrac{}{}$

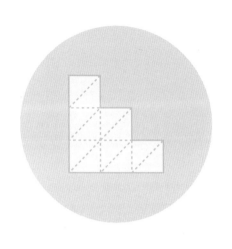

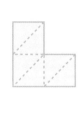 은 전체의 ───

 은 전체의 ───

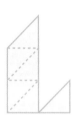 은 전체의 ───

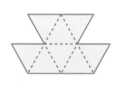 은 전체의 ───

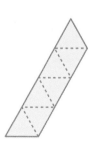 은 전체의 ───

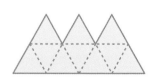 은 전체의 ───

3

C05

색칠한 부분을 분수로 나타내시오.

○ 보기 ○

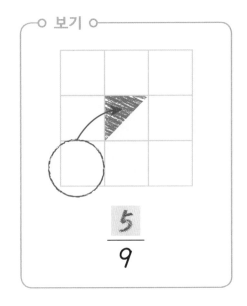

$$\frac{5}{9}$$

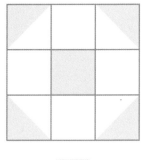

$$\frac{}{9}$$

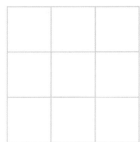

$$\frac{}{9}$$

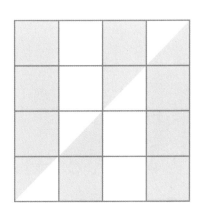

$$\frac{}{16}$$

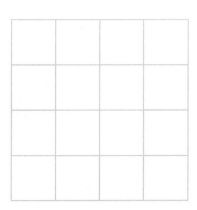

$$\frac{}{16}$$

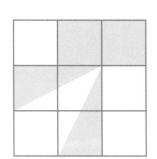

9

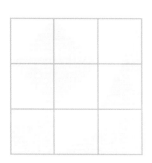

9

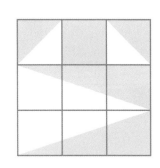

9

3

C05

16

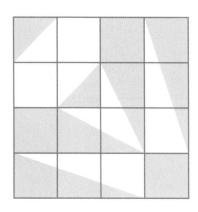

16

칠교 조각 분수

🌷 칠교 조각의 전체를 1로 할 때, 주어진 모양의 넓이를 분수로 나타내시오.

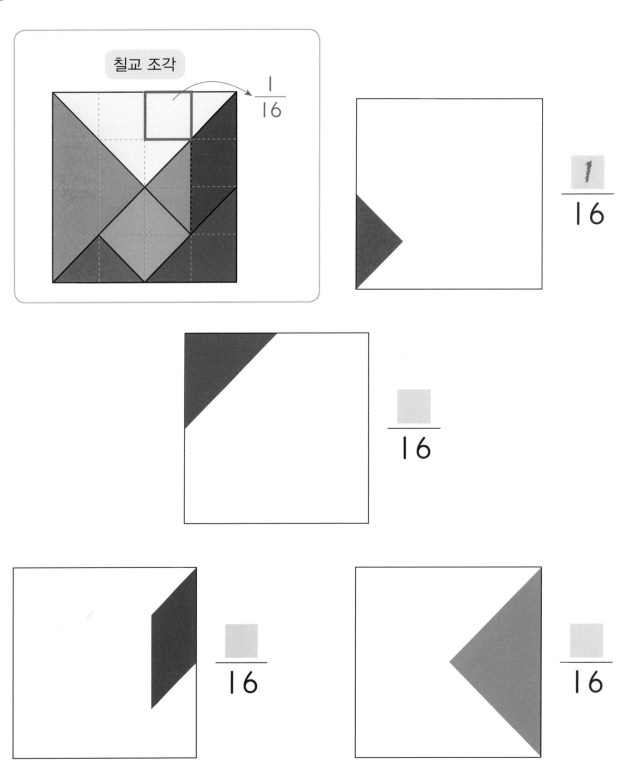

칠교 조각의 전체를 1로 할 때, 주어진 모양의 넓이를 분수로 나타내시오.

준비물 ▶ 칠교 조각

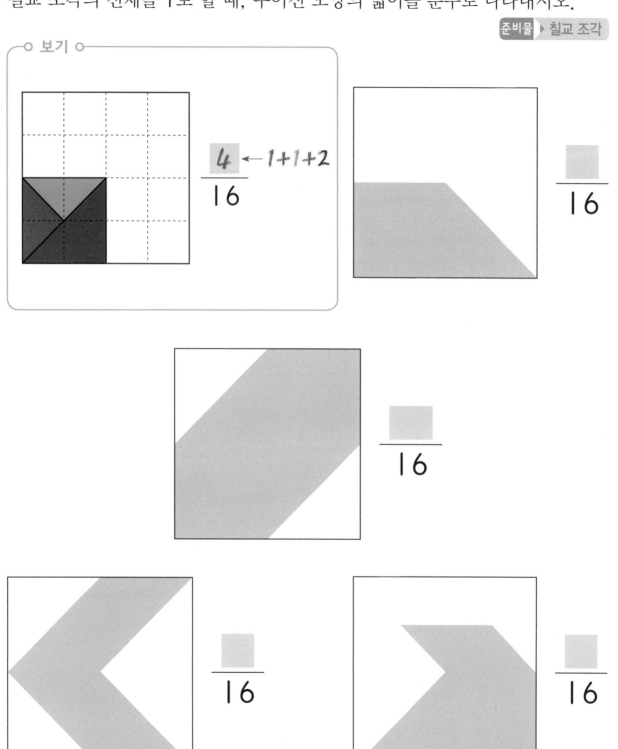

○ 보기 ○

$\dfrac{4}{16}$ ← $1+1+2$

칠교 조각으로 주어진 모양을 만들고, 분수로 나타내시오. (단, 칠교 조각의 전체를 1로 봅니다.)

준비물 ▶ 칠교 조각

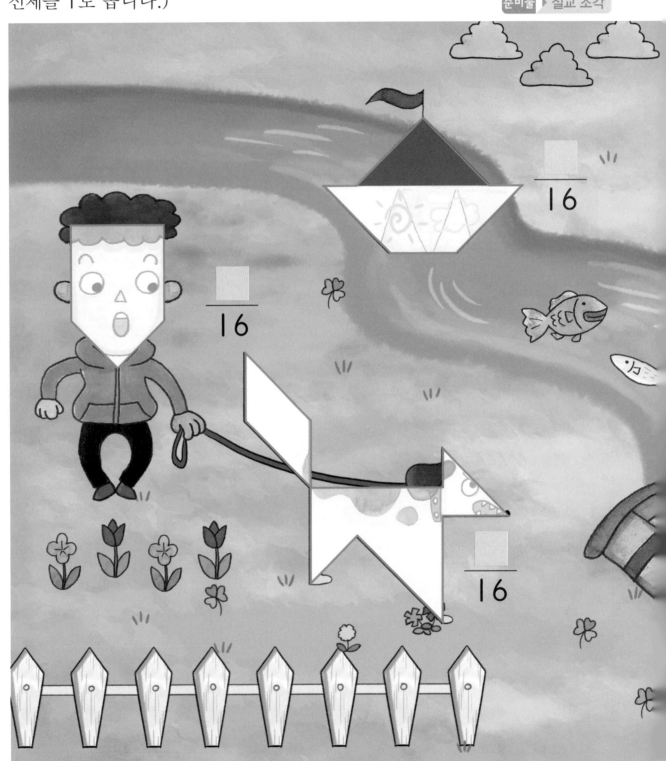

$\dfrac{}{16}$

$\dfrac{}{16}$

$\dfrac{}{16}$

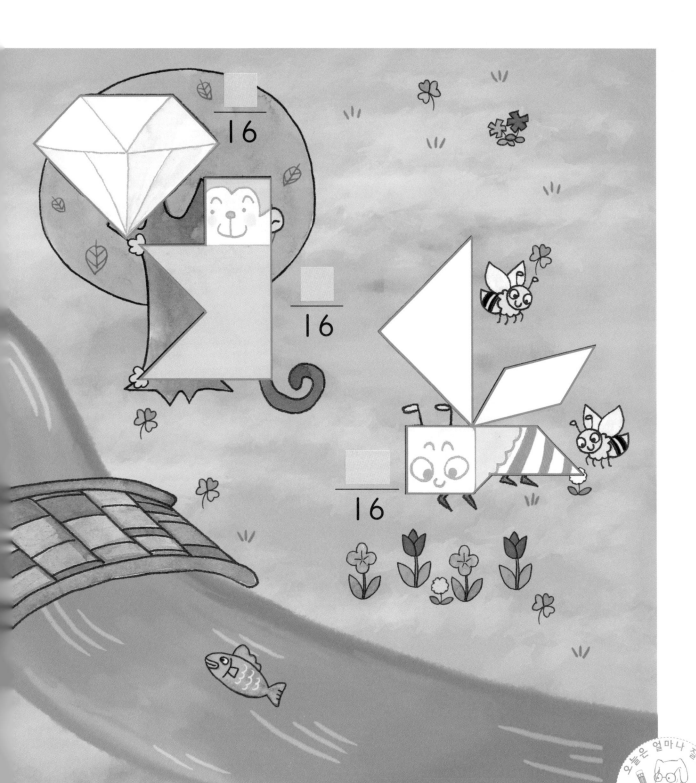

16

16

16

3 도형 나누기

🌻 각 도형을 똑같은 모양으로 주어진 개수만큼 나누어 보시오.

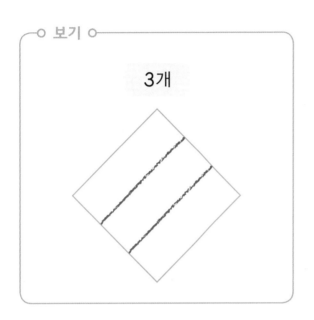

보기

3개

4개

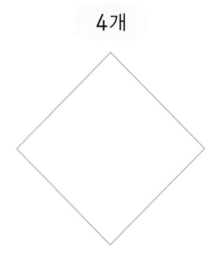

6개

8개

9개

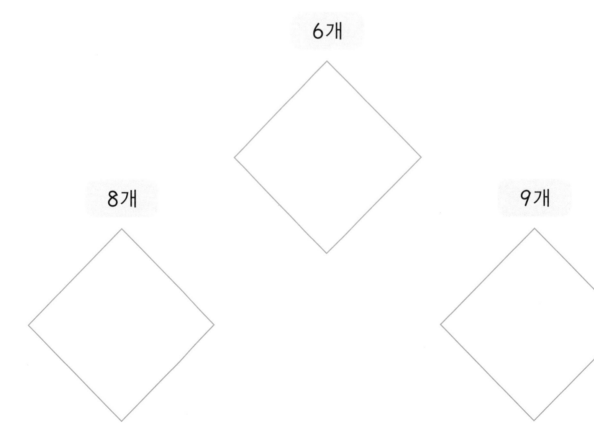

2개

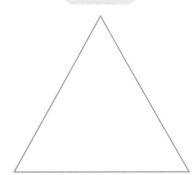

3개

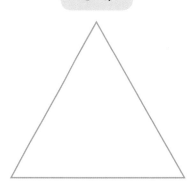

4개

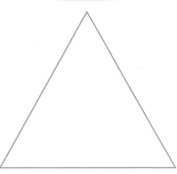

6개

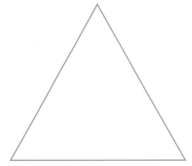

9개

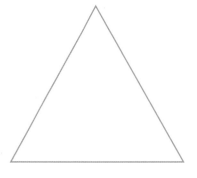

3
C05

3
일차

🌀 모양과 크기가 같은 **4**개의 도형으로 나누어 보시오. (단, 돌리거나 뒤집었을 때 겹쳐지는 것은 같은 모양으로 봅니다.)

3

C05

4

크기가 같은 분수

🌷 수 카드를 모두 사용하여 크기가 같은 2개의 분수를 만들고, 분수에 알맞게 색칠하시오.

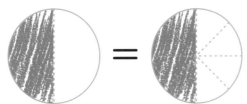

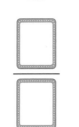

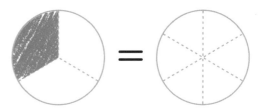

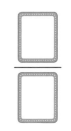

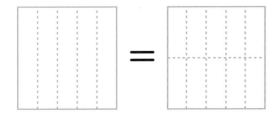

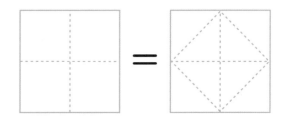

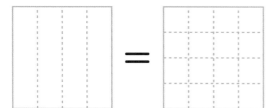

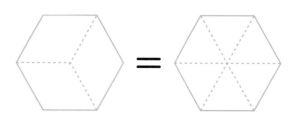

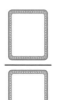　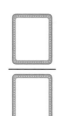　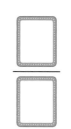　

3

C05

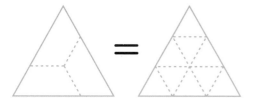

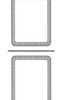　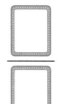　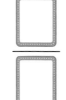　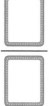

주어진 도형에 선을 그어 크기가 같은 분수를 만들어 보시오.

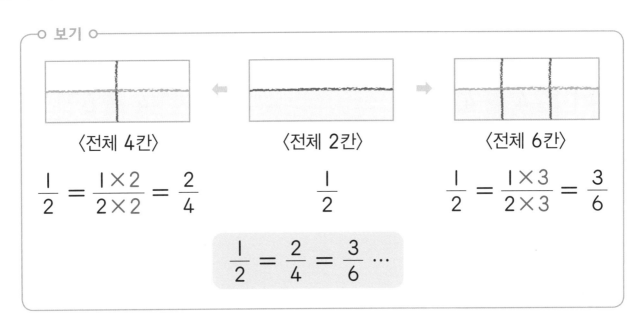

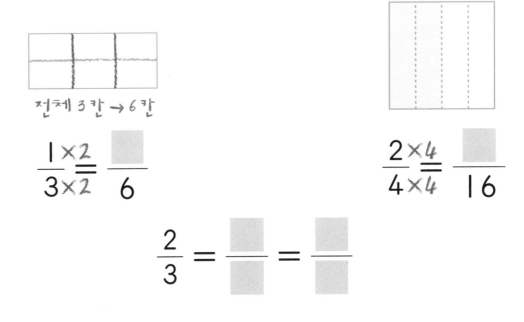

✿ 주어진 도형에 선을 그어 크기가 같은 분수를 만들어 보시오.

┌─○ 보기 ○───
│
│ 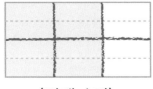 ← 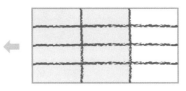 →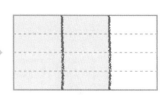
│
│ 〈전체 6칸〉   〈전체 12칸〉   〈전체 3칸〉
│
│ $\dfrac{8 \div 2}{12 \div 2} = \dfrac{4}{6}$ $\dfrac{8}{12}$ $\dfrac{8 \div 4}{12 \div 4} = \dfrac{2}{3}$
│
│ $\dfrac{8}{12} = \dfrac{4}{6} = \dfrac{2}{3}$
│
└──

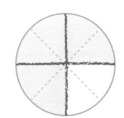

전체 8칸 → 4칸

$\dfrac{6 \div 2}{8 \div 2} = \dfrac{\boxed{}}{4}$

$\dfrac{6 \div 6}{12 \div 6} = \dfrac{\boxed{}}{2}$

$\dfrac{4}{12} = \dfrac{\boxed{}}{\boxed{}} = \dfrac{\boxed{}}{\boxed{}}$

$\dfrac{8}{20} = \dfrac{\boxed{}}{\boxed{}} = \dfrac{\boxed{}}{\boxed{}}$

$\dfrac{4}{16} = \dfrac{\boxed{}}{\boxed{}} = \dfrac{\boxed{}}{\boxed{}}$

조건에 맞는 분수와 소수

🌷 숫자 카드를 사용하여 조건 에 맞는 분수를 모두 만들어 보시오.

조건 진분수

조건 가분수

조건 대분수

| 4 | 4 | 5 | 7 |

조건   분모가 4인 가분수

| 3 | 4 | 5 | 8 |

조건   분자가 5인 대분수

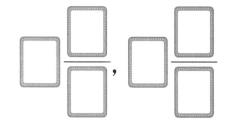

| 5 | 6 | 7 | 9 |

조건   자연수가 9인 대분수

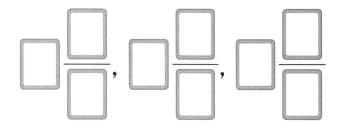

3
C05

🌼 숫자 카드를 한 번씩만 사용하여 조건에 맞는 소수를 만들어 보시오. (단, 소수점 카드는 맨 앞과 맨 뒤에 놓을 수 없습니다.)

 온라인 활동지

| 1 | 3 | 5 | 6 | . |

| 조건 | 가장 큰 소수 한 자리 수 |

| 6 | 5 | 3 | . | 1 |

| 조건 | 가장 작은 소수 한 자리 수 |

| | | | | |

| 4 | 4 | 7 | 8 | . |

| 조건 | 가장 큰 소수 두 자리 수 |

| | | | | |

| 조건 | 가장 작은 소수 두 자리 수 |

| | | | | |

3 6 8 9

 조건 가장 큰 소수 두 자리 수

 조건 둘째로 큰 소수 한 자리 수

□ □ □ □ □   □ □ □ □ □

3
C05

 5 5 7 8 .

 조건 가장 큰 소수 두 자리 수

 조건 둘째로 작은 소수 한 자리 수

□ □ □ □ □   □ □ □ □ □

학습관리표

	일 자			소요 시간	틀린 문항 수	확인
❶ 일차	월		일	:		
❷ 일차	월		일	:		
❸ 일차	월		일	:		
❹ 일차	월		일	:		
❺ 일차	월		일	:		

4주

가장 큰 값

🌷 숫자 카드를 한 번씩 사용하여 **가장 큰 대분수**를 만들어 보시오. (단, 분자는 분모보다 작습니다.)

🖨 온라인 활동지

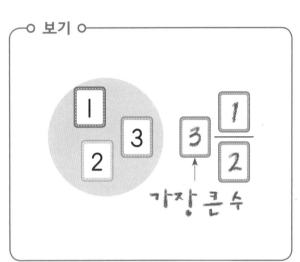

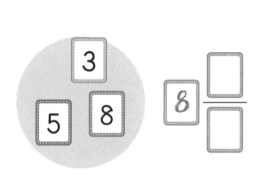

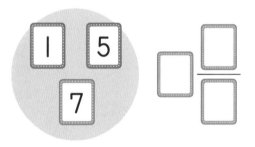

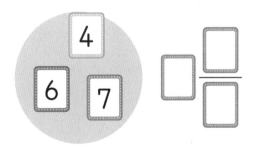

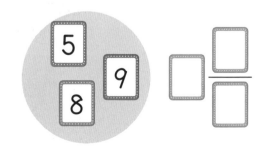

숫자 카드를 한 번씩 사용하여 **가장 작은 대분수**를 만들어 보시오. (단, 분자
는 분모보다 작습니다.)

온라인 활동지

보기

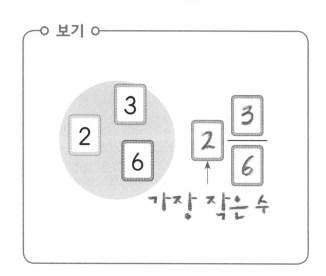

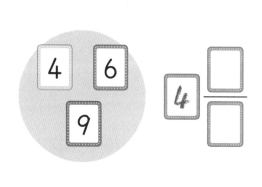

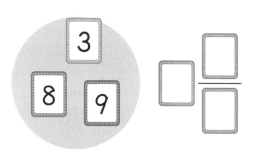

4

C05

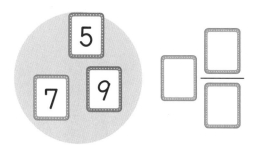

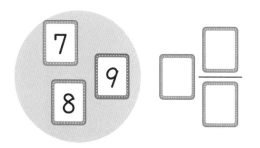

숫자 카드를 한 번씩 사용하여 계산 결과가 **가장 큰 값**이 되도록 만들어 보시오.

온라인 활동지

○ 보기 ○

| 1 | 2 | 3 | 4 |

$$4\frac{1}{6} + 3\frac{2}{6} = 7\frac{3}{6}$$

| 2 | 5 | 8 |

$$8\frac{\square}{9} + \frac{\square}{9} = \boxed{}$$

| 1 | 3 | 5 | 7 |

$$\square\frac{\square}{5} + \square\frac{\square}{5} = \boxed{}$$

| 2 | 6 | 7 | 9 |

$$\square\frac{\square}{8} + \square\frac{\square}{8} = \boxed{}$$

| 3 | 7 | 8 | 9 |

$$\square\frac{\square}{7} + \square\frac{\square}{7} = \boxed{}$$

💠 숫자 카드를 한 번씩 사용하여 계산 결과가 **가장 큰 값**이 되도록 만들어 보시오.

🖨 온라인 활동지

○ 보기 ○

$\boxed{1}$ $\boxed{2}$ $\boxed{3}$ $\boxed{6}$

$\boxed{6}\dfrac{\boxed{3}}{4} - \boxed{1}\dfrac{\boxed{2}}{4} = 5\dfrac{1}{4}$

$\boxed{1}$ $\boxed{2}$ $\boxed{4}$

$\boxed{4}\dfrac{\boxed{}}{6} - \dfrac{\boxed{}}{6} = \boxed{}$

$\boxed{1}$ $\boxed{2}$ $\boxed{4}$ $\boxed{5}$

$\boxed{}\dfrac{\boxed{}}{7} - \boxed{}\dfrac{\boxed{}}{7} = \boxed{}$

4

C05

$\boxed{1}$ $\boxed{4}$ $\boxed{6}$ $\boxed{9}$

$\boxed{}\dfrac{\boxed{}}{11} - \boxed{}\dfrac{\boxed{}}{11} = \boxed{}$

$\boxed{2}$ $\boxed{6}$ $\boxed{7}$ $\boxed{8}$

$\boxed{}\dfrac{\boxed{}}{9} - \boxed{}\dfrac{\boxed{}}{9} = \boxed{}$

오늘은 얼마나 잘했을까요?
칭찬 붙임 딱지를
붙여 주세요!

가장 작은 값

🌷 숫자 카드를 한 번씩 사용하여 계산 결과가 **가장 작은 값**이 되도록 만들어 보시오.

🖨 온라인 활동지

○ 보기 ○

$\boxed{1}\;\boxed{2}\;\boxed{3}\;\boxed{5}$

$\boxed{1}\dfrac{\boxed{3}}{9} + \boxed{2}\dfrac{\boxed{5}}{9} = 3\dfrac{8}{9}$

$\boxed{1}\;\boxed{3}\;\boxed{4}$

$\boxed{1}\dfrac{\boxed{}}{5} + \dfrac{\boxed{}}{5} = \boxed{}$

$\boxed{2}\;\boxed{5}\;\boxed{6}$

$\dfrac{\boxed{}}{7} + \boxed{}\dfrac{\boxed{}}{7} = \boxed{}$

$\boxed{3}\;\boxed{5}\;\boxed{7}$

$\boxed{}\dfrac{\boxed{}}{9} + \dfrac{\boxed{}}{9} = \boxed{}$

$\boxed{2}\;\boxed{3}\;\boxed{5}$

$\dfrac{\boxed{}}{8} + \boxed{}\dfrac{\boxed{}}{8} = \boxed{}$

$\boxed{1}$ $\boxed{2}$ $\boxed{4}$

$$\boxed{} + \boxed{} \frac{\boxed{}}{5} = \boxed{}$$

$\boxed{3}$ $\boxed{4}$ $\boxed{5}$

$$\frac{\boxed{}}{6} + \boxed{} \frac{\boxed{}}{6} = \boxed{}$$

$\boxed{2}$ $\boxed{3}$ $\boxed{6}$ $\boxed{8}$

$$\boxed{} \frac{\boxed{}}{9} + \boxed{} \frac{\boxed{}}{9} = \boxed{}$$

4

C05

$\boxed{1}$ $\boxed{3}$ $\boxed{4}$ $\boxed{7}$

$$\boxed{} \frac{\boxed{}}{8} + \boxed{} \frac{\boxed{}}{8} = \boxed{}$$

$\boxed{4}$ $\boxed{5}$ $\boxed{5}$ $\boxed{6}$

$$\boxed{} \frac{\boxed{}}{7} + \boxed{} \frac{\boxed{}}{7} = \boxed{}$$

숫자 카드를 한 번씩 사용하여 계산 결과가 **가장 작은 값**이 되도록 만들어 보시오.

 온라인 활동지

┌─○ 보기 ○─────────────────────────┐

│ 1   2   4   5 │

│ $2\dfrac{4}{7} - 1\dfrac{5}{7} = \dfrac{6}{7}$ │

└────────────────────────────────┘

2   3   6

$2\dfrac{\boxed{}}{8} - \dfrac{\boxed{}}{8} = \boxed{}$

1   4   5

$\boxed{}\dfrac{\boxed{}}{6} - \dfrac{\boxed{}}{6} = \boxed{}$

4   6   7

$\boxed{} - \boxed{}\dfrac{\boxed{}}{8} = \boxed{}$

2   5   8

$\boxed{} - \boxed{}\dfrac{\boxed{}}{9} = \boxed{}$

3 4 6

7 8 9

$$\square\frac{\square}{9} - \square = \boxed{}$$

$$\square\frac{\square}{10} - \square = \boxed{}$$

1 3 5 7

$$\square\frac{\square}{8} - \square\frac{\square}{8} = \boxed{}$$

4

C05

2 5 6 8

1 4 7 9

$$\square\frac{\square}{9} - \square\frac{\square}{9} = \boxed{}$$

$$\square\frac{\square}{11} - \square\frac{\square}{11} = \boxed{}$$

3

정사각형 나누기

❧ 점과 점을 연결하여 모양과 크기가 같도록 2개로 똑같이 나누어 보시오. (단, 돌리거나 뒤집었을 때 같은 모양은 하나로 봅니다.)

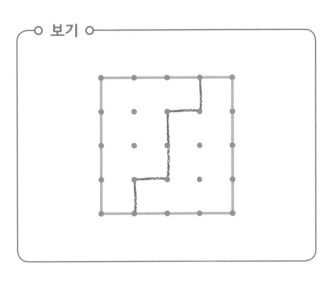

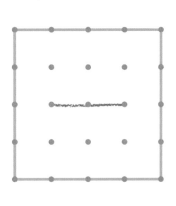

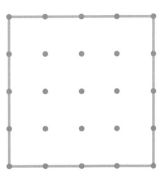

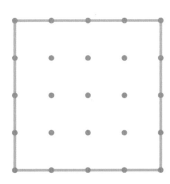

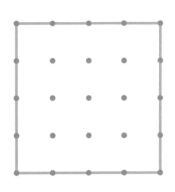

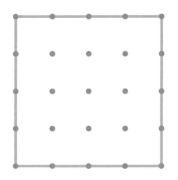

💡 가운데 ▨를 뺀 남은 조각들을 모양과 크기가 같도록 **4**개씩 나누어 보시오.

○ 보기 ○

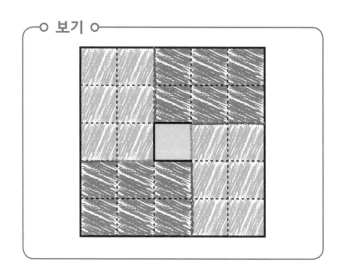

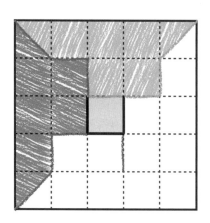

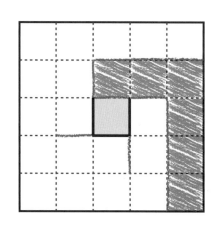

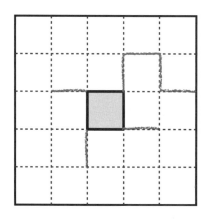

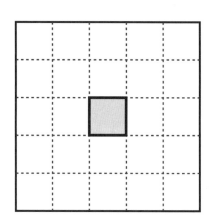

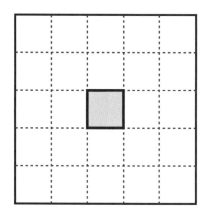

🧑 모양과 크기가 같은 4개의 모양에 바둑돌의 개수가 똑같이 들어가도록 나누어 보시오.

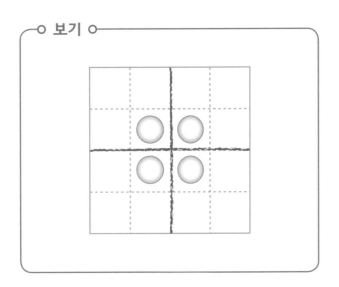

보기

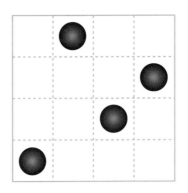

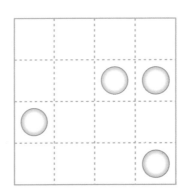

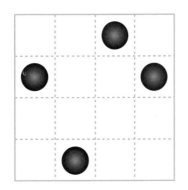

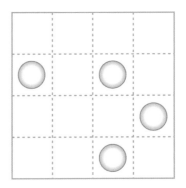

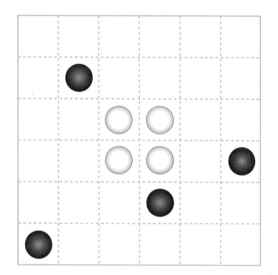

4
C05

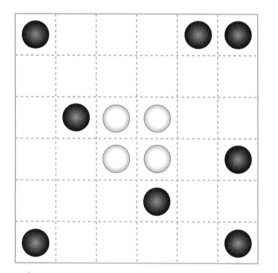

벌레먹은 셈

🌷 ☐ 안에 알맞은 숫자를 써넣으시오.

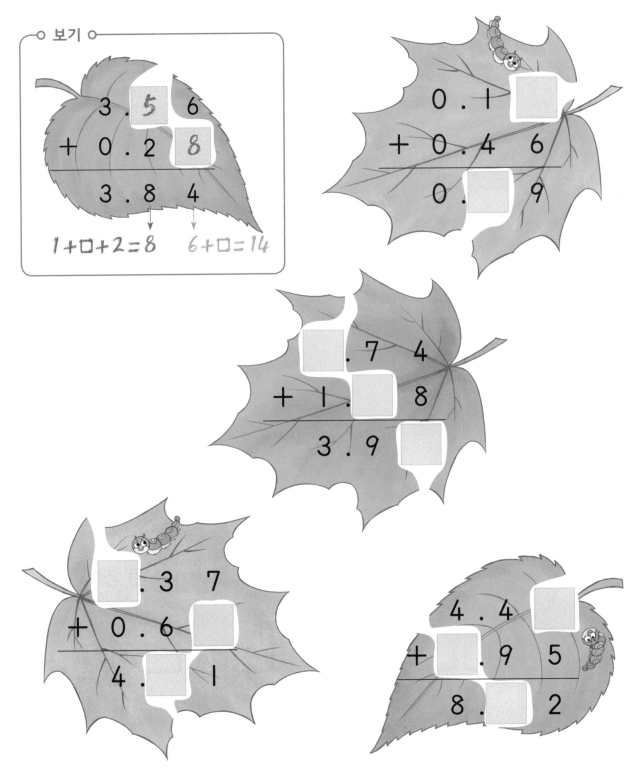

○ 보기 ○

```
  3 . 5   6
+ 0 . 2   8
─────────────
  3 . 8   4
```

1+□+2=8   6+□=14

```
  0 . 1   
+ 0 . 4   6
─────────────
  0 .     9
```

```
    . 7   4
+ 1 .     8
─────────────
  3 . 9   
```

```
    . 3   7
+ 0 . 6   
─────────────
  4 .     1
```

```
  4 . 4   
+   . 9   5
─────────────
  8 .     2
```

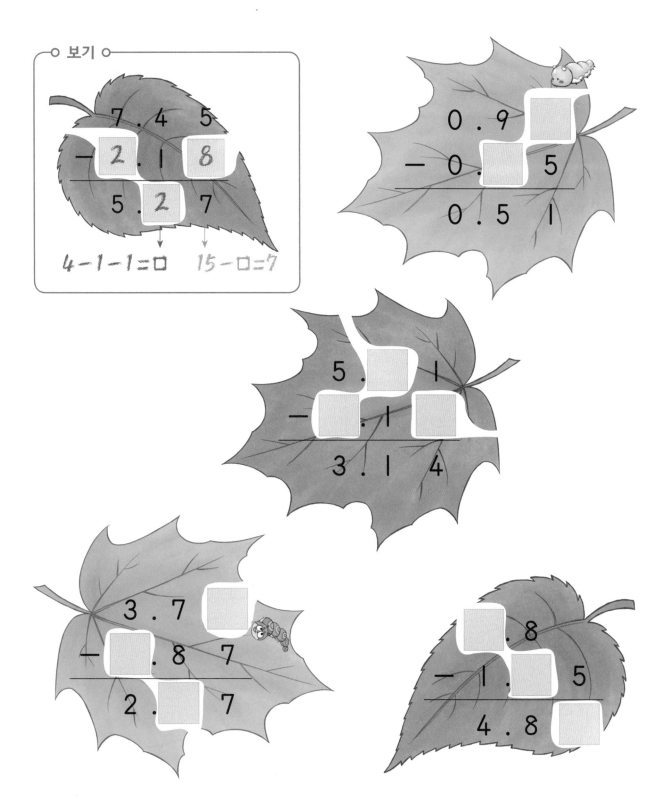

○ 보기 ○

$$
\begin{array}{r}
7.45 \\
-\;2.18 \\
\hline
5.27
\end{array}
$$

$4-1-1=\square$　$15-\square=7$

$$
\begin{array}{r}
0.9\,\square \\
-\;0.\square\,5 \\
\hline
0.51
\end{array}
$$

$$
\begin{array}{r}
5.\square\,1 \\
-\;\square.1\,\square \\
\hline
3.14
\end{array}
$$

$$
\begin{array}{r}
3.7\,\square \\
-\;\square.87 \\
\hline
2.\square\,7
\end{array}
$$

$$
\begin{array}{r}
\square.8 \\
-\;1.\square\,5 \\
\hline
4.8\,\square
\end{array}
$$

4

C05

4 일차

♣ ▨ 안에 알맞은 한 자리 수를 써넣으시오.

○─ 보기 ─○

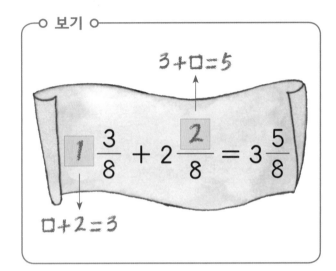

$3+\square=5$

$1\dfrac{3}{8} + 2\dfrac{\boxed{2}}{8} = 3\dfrac{5}{8}$

$\square+2=3$

$$\dfrac{2}{6} + \dfrac{\square}{6} = \dfrac{5}{\square}$$

$$\dfrac{\square}{9} + 4\dfrac{3}{\square} = \square\dfrac{8}{9}$$

$$3\dfrac{\square}{8} + \square\dfrac{2}{8} = 7\dfrac{5}{\square}$$

$$\dfrac{\square}{4} + 2\dfrac{\square}{4} = 4\dfrac{1}{4}$$

$$1\dfrac{5}{\square} + \square\dfrac{\square}{7} = 3\dfrac{2}{7}$$

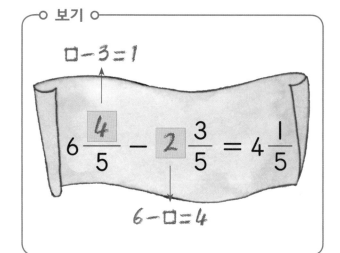

○ 보기 ○

□−3=1

$6\dfrac{\boxed{4}}{5} - \boxed{2}\dfrac{3}{5} = 4\dfrac{1}{5}$

6−□=4

$\boxed{}\dfrac{6}{9} - \dfrac{\boxed{}}{9} = 5\dfrac{3}{9}$

$5\dfrac{\boxed{}}{9} - \boxed{}\dfrac{3}{9} = 3\dfrac{4}{\boxed{}}$

$4 - \boxed{}\dfrac{\boxed{}}{6} = 2\dfrac{2}{6}$

$5\dfrac{\boxed{}}{10} - \boxed{}\dfrac{9}{10} = \dfrac{3}{10}$

$\boxed{}\dfrac{1}{4} - 3\dfrac{\boxed{}}{4} = 3\dfrac{2}{4}$

4

C05

5 일차

복면산

❦ ▨ 안에 알맞은 숫자를 써넣으시오. (단, 같은 모양은 같은 숫자를 나타냅니다.)

┌─ 보기 ─

$$
\begin{array}{r}
1.\; 🎭\; 9 \\
+\; 🎭.4\; 🎭 \\
\hline
3.\; 🎭\; 6
\end{array}
\quad 🎭 =7 \quad \Rightarrow \quad
\begin{array}{r}
1.\; 🎭\; 9 \\
+\; 🎭.4\; 7 \\
\hline
3.\; 7\; 6
\end{array}
\quad 🎭 =2 \quad \Rightarrow \quad
\begin{array}{r}
1.\; 2\; 9 \\
+\; 2.4\; 7 \\
\hline
3.\; 7\; 6
\end{array}
$$

9+□=16   1+□+4=7

└─────────

$$
\begin{array}{r}
0.5\; 🎭 \\
+\; 0.1\; 3 \\
\hline
0.\; 🎭\; 9
\end{array}
$$

🎭 = ▨

$$
\begin{array}{r}
🎭.\; 🎭\; 3 \\
+\; 🎭.4\; 🎭 \\
\hline
7.5\; 9
\end{array}
$$

🎭 = ▨ , 🎭 = ▨

$$
\begin{array}{r}
🎭.\; 🎭\; 🎭 \\
+\; 1.7\; 4 \\
\hline
🎭.0\; 9
\end{array}
$$

🎭 = ▨ , 🎭 = ▨

$$
\begin{array}{r}
🎭.\; 🎭\; 6 \\
+\; 1.7\; 8 \\
\hline
🎭.🎭\; 🎭
\end{array}
$$

🎭 = ▨ , 🎭 = ▨

보기

$$\begin{array}{r} \square.97 \\ -2.5\,\square \\ \hline 1.\square\,\square \end{array} \quad \square=4 \quad\rightarrow\quad \begin{array}{r} \square.97 \\ -2.5\,4 \\ \hline 1.4\,\square \end{array} \quad \square=3 \quad\rightarrow\quad \begin{array}{r} 3.97 \\ -2.54 \\ \hline 1.43 \end{array}$$

9-5=□　　　　　7-4=□

$$\begin{array}{r} 0.\square\,\square \\ -0.4\,\square \\ \hline 0.2\,\square \end{array}$$

□ = ☐ , □ = ☐

$$\begin{array}{r} 6.8\,\square \\ -\square.\square\,9 \\ \hline \square.\square\,5 \end{array}$$

□ = ☐ , □ = ☐

$$\begin{array}{r} \square.\square\,\square \\ -\square.0\,8 \\ \hline 2.4\,9 \end{array}$$

□ = ☐ , □ = ☐

$$\begin{array}{r} \square.6\,2 \\ -\square.\square\,\square \\ \hline 4.7\,9 \end{array}$$

□ = ☐ , □ = ☐

C05

4

😊 ▨ 안에 알맞은 한 자리 수를 써넣으시오. (단, 같은 모양은 같은 숫자를 나타 냅니다.)

○ 보기 ○

$$1 + \square + 1 = 8$$

$$1\frac{?}{8} + ?\frac{7}{8} = 8\frac{5}{8} \quad \longrightarrow \quad ? = 6 \quad 1\frac{6}{8} + 6\frac{7}{8} = 8\frac{5}{8}$$

$$\frac{6}{7} + \frac{?}{7} = ? \qquad\qquad ?\frac{?}{9} + 3\frac{5}{9} = 8$$

$$? = \boxed{} \qquad\qquad\qquad ? = \boxed{}$$

$$\frac{?}{8} + ?\frac{2}{8} = ?\frac{7}{8}$$

$$? = \boxed{}$$

$$?\frac{1}{5} + ?\frac{?}{5} = 5\frac{?}{5} \qquad\qquad 5\frac{?}{4} + ?\frac{?}{4} = 8\frac{?}{4}$$

$$? = \boxed{} \ , \ ? = \boxed{} \qquad\qquad ? = \boxed{} \ , \ ? = \boxed{}$$

○ 보기 ○

$5 - \square = 2$

$\bullet\frac{5}{8} - \frac{\bullet}{8} = \bullet\frac{2}{8}$　$\bullet = 3$　⟹　$3\frac{5}{8} - \frac{3}{8} = 3\frac{2}{8}$

$7\frac{5}{5} - \bullet = 3\frac{4}{5}$　　　　$\bullet - \frac{\bullet}{5} = 1\frac{3}{5}$

$\bullet = \boxed{}$　　　　　$\bullet = \boxed{}$

$\bullet\frac{5}{8} - \frac{\bullet}{8} = \bullet\frac{1}{8}$

$\bullet = \boxed{}$

4

C05

$\bullet\frac{6}{7} - \bullet\frac{\bullet}{7} = 4\frac{\bullet}{7}$　　　　$6\frac{6}{5} - \bullet\frac{4}{5} = \bullet\frac{\bullet}{5}$

$\bullet = \boxed{}$, $\bullet = \boxed{}$　　　$\bullet = \boxed{}$, $\bullet = \boxed{}$

오늘은 얼마나 잘했을까요?
칭찬 붙임 딱지를
붙여 주세요!

memo

C05
정답

학습가이드

진분수의 개념과 진분수의 크기 비교를 학습하는 과정입니다.

똑같이 나누어진 전체와 부분의 크기를 비교하고 분수의 크기만큼 색칠하는 활동을 통해 분수의 개념을 이해합니다.

자연수에 익숙한 아이들에게 처음 보는 분수는 익숙하지 않습니다. 전체에 대하여 색칠한 부분을 수로 어떻게 나타내어야 하는지 먼저 생각해 보게 하고, 분수의 개념을 이해하게 해 주세요.

더 나아가 진분수의 개념을 이용하여 분모가 같은 분수와 분모가 다른 분수의 크기를 비교할 수 있게 지도해 주세요.

P 8~9

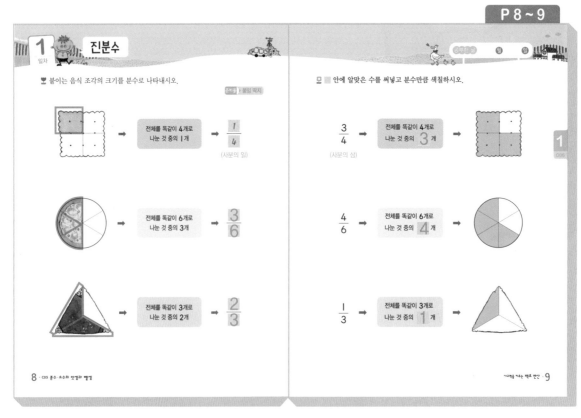

◯ 전체에 대하여 색칠한 부분의 크기를 분수로 나타내시오.

◯ 주어진 분수만큼 색칠해 보시오.

$\frac{2}{3}$ → 　　　　$\frac{4}{5}$ →

$\frac{5}{6}$ → 　　　　$\frac{2}{4}$ →

$\frac{3}{8}$ → 　　　　$\frac{2}{6}$ →

10 · C05 분수·소수의 덧셈과 뺄셈　　　　사고력을 키우는 팩토 연산 · 11

◯ 주어진 분수만큼 색칠하고 ◯ 안에 >, <를 알맞게 써넣으시오.

$\frac{1}{3}$ < $\frac{2}{3}$ 　　　 $\frac{3}{4}$ > $\frac{2}{4}$

$\frac{1}{2}$ > $\frac{1}{3}$ 　　　 $\frac{1}{5}$ < $\frac{1}{4}$

$\frac{4}{6}$ > $\frac{2}{6}$ 　　　 $\frac{3}{5}$ < $\frac{4}{5}$

$\frac{1}{3}$ > $\frac{1}{6}$ 　　　 $\frac{1}{2}$ < $\frac{2}{3}$

$\frac{4}{8}$ < $\frac{7}{8}$ 　　　 $\frac{5}{6}$ > $\frac{4}{6}$

$\frac{3}{4}$ > $\frac{3}{8}$ 　　　 $\frac{2}{3}$ < $\frac{5}{6}$

12 · C05 분수·소수의 덧셈과 뺄셈

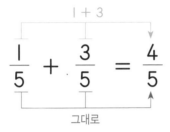

분모가 같은 진분수의 덧셈과 뺄셈을 학습하는 과정입니다.

1일차에서 학습한 진분수의 개념을 바탕으로 분모가 같은 분수의 합과 차가 진분수가 되는 계산을 다룹니다.

지금까지 자연수 범위에서 덧셈과 뺄셈을 학습한 아이들에게는 분수의 덧셈과 뺄셈은 이해하기 어려운 계산 과정입니다. 처음부터 아이들에게 분수의 덧셈과 뺄셈을 형식적으로 계산하게 하기보다는 분수의 의미를 생각하며 그림을 색칠하는 방법으로 지도해 주세요.

형식적으로 연습할 때는 아이들이 분모는 분모끼리, 분자는 분자끼리 더하거나 빼는 오류를 범하지 않도록 지도해 주세요.

$$\overset{1+3}{\frac{1}{5} + \frac{3}{5} = \frac{4}{5}}$$
그대로

$$\overset{5-2}{\frac{5}{6} - \frac{2}{6} = \frac{3}{6}}$$
그대로

P 14 ~ 15

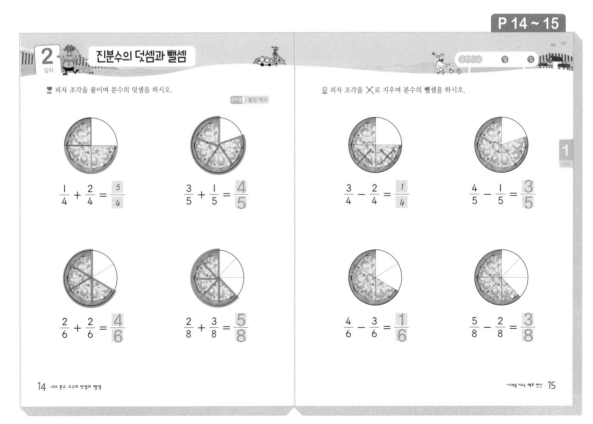

2일차 진분수의 덧셈과 뺄셈

피자 조각을 붙이며 분수의 덧셈을 하시오.

$\frac{1}{4} + \frac{2}{4} = \frac{3}{4}$　　$\frac{3}{5} + \frac{1}{5} = \frac{4}{5}$

$\frac{2}{6} + \frac{2}{6} = \frac{4}{6}$　　$\frac{2}{8} + \frac{3}{8} = \frac{5}{8}$

피자 조각을 ✕로 지우며 분수의 뺄셈을 하시오.

$\frac{3}{4} - \frac{2}{4} = \frac{1}{4}$　　$\frac{4}{5} - \frac{1}{5} = \frac{3}{5}$

$\frac{4}{6} - \frac{3}{6} = \frac{1}{6}$　　$\frac{5}{8} - \frac{2}{8} = \frac{3}{8}$

P 16 ~ 17

○ 도형을 알맞게 색칠하며 분수의 덧셈을 하시오.

○ 색칠한 부분을 ✕로 지우며 분수의 뺄셈을 하시오.

$\dfrac{2}{5} + \dfrac{1}{5} = \dfrac{3}{5}$ $\dfrac{1}{5} + \dfrac{3}{5} = \dfrac{4}{5}$

$\dfrac{4}{5} - \dfrac{2}{5} = \dfrac{2}{5}$ $\dfrac{4}{5} - \dfrac{3}{5} = \dfrac{1}{5}$

$\dfrac{1}{4} + \dfrac{1}{4} = \dfrac{2}{4}$ $\dfrac{2}{6} + \dfrac{1}{6} = \dfrac{3}{6}$

$\dfrac{3}{4} - \dfrac{1}{4} = \dfrac{2}{4}$ $\dfrac{5}{6} - \dfrac{2}{6} = \dfrac{3}{6}$

$\dfrac{2}{7} + \dfrac{3}{7} = \dfrac{5}{7}$ $\dfrac{4}{8} + \dfrac{3}{8} = \dfrac{7}{8}$

$\dfrac{6}{7} - \dfrac{2}{7} = \dfrac{4}{7}$ $\dfrac{5}{8} - \dfrac{3}{8} = \dfrac{2}{8}$

16 · C05 분수 · 소수의 덧셈과 뺄셈

사고력을 키우는 팩토 연산 · 17

P 18 ~ 19

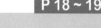

○ 진분수의 덧셈과 뺄셈을 하시오.

1 + 3
$\dfrac{1}{5} + \dfrac{3}{5} = \dfrac{4}{5}$
그대로

5 − 2
$\dfrac{5}{6} - \dfrac{2}{6} = \dfrac{3}{6}$
그대로

$\dfrac{1}{3} + \dfrac{1}{3} = \dfrac{2}{3}$ $\dfrac{1}{5} + \dfrac{2}{5} = \dfrac{3}{5}$

$\dfrac{2}{3} - \dfrac{1}{3} = \dfrac{1}{3}$ $\dfrac{3}{4} - \dfrac{1}{4} = \dfrac{2}{4}$

$\dfrac{2}{4} + \dfrac{1}{4} = \dfrac{3}{4}$ $\dfrac{2}{7} + \dfrac{3}{7} = \dfrac{5}{7}$

$\dfrac{5}{7} - \dfrac{2}{7} = \dfrac{3}{7}$ $\dfrac{5}{6} - \dfrac{3}{6} = \dfrac{2}{6}$

$\dfrac{3}{8} + \dfrac{4}{8} = \dfrac{7}{8}$ $\dfrac{1}{6} + \dfrac{4}{6} = \dfrac{5}{6}$

$\dfrac{3}{5} - \dfrac{2}{5} = \dfrac{1}{5}$ $\dfrac{6}{8} - \dfrac{5}{8} = \dfrac{1}{8}$

18 · C05 분수 · 소수의 덧셈과 뺄셈

$\frac{4}{4}$, $\frac{5}{4}$ 와 같이 분자가 분모와 같거나 분모보다 큰 분수인 '가분수'와 $1\frac{1}{4}$ 과 같이 자연수와 진분수로 이루어진 '대분수'의 개념에 대해 학습합니다.

또한 가분수를 대분수로 나타내고, 대분수를 가분수로 나타내는 방법을 학습합니다. 이 과정은 대분수의 덧셈과 뺄셈에 반드시 필요한 과정이므로 능숙히 할 수 있도록 충분히 연습해 주세요.

① 대분수를 가분수로 바꾸기

$1\frac{1}{3}$ → ⚪이 1개 / ◗이 1개 → → ◗이 4개 → $\frac{4}{3}$

② 가분수를 대분수로 바꾸기

$\frac{3}{2}$ → ◗이 3개 → → ⚪이 1개 / ◗이 1개 → $1\frac{1}{2}$

P 20 ~ 21

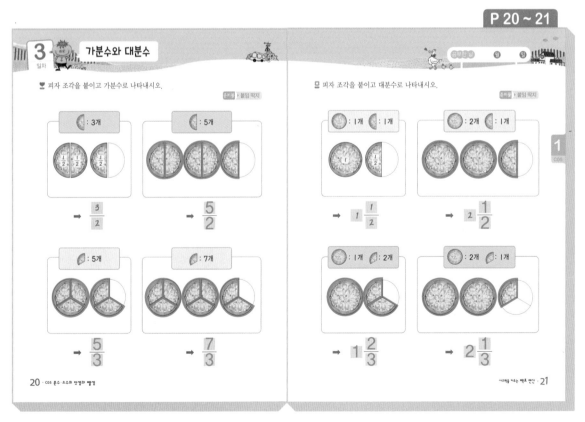

3일차 가분수와 대분수

🍕 피자 조각을 붙이고 가분수로 나타내시오.

◗ : 3개 → $\frac{3}{2}$

◗ : 5개 → $\frac{5}{2}$

◖ : 5개 → $\frac{5}{3}$

◖ : 7개 → $\frac{7}{3}$

🍕 피자 조각을 붙이고 대분수로 나타내시오.

⚪ : 1개 ◗ : 1개 → $1\frac{1}{2}$

⚪ : 2개 ◗ : 1개 → $2\frac{1}{2}$

⚪ : 1개 ◖ : 2개 → $1\frac{2}{3}$

⚪ : 2개 ◖ : 1개 → $2\frac{1}{3}$

P 22 ~ 23

3 일차

🔹 주어진 가분수만큼 색칠하고, 대분수로 나타내시오.

$\dfrac{3}{2}$ → (이 3개)  (이 1개 / 이 1개) → $1\dfrac{1}{2}$

$\dfrac{7}{3}$ → (이 7개) (이 2개 / 이 1개) → $2\dfrac{1}{3}$

$\dfrac{6}{4}$ → (이 6개)  (이 1개 / 이 2개) → $1\dfrac{2}{4}$

$\dfrac{13}{5}$ → (이 13개) → (이 2개 / 이 3개) → $2\dfrac{3}{5}$

22 · C05 분수 · 소수의 덧셈과 뺄셈

🔹 가분수를 대분수로 나타내시오.

$\dfrac{4}{3} = 1\dfrac{1}{3}$ $\dfrac{5}{3} = 1\dfrac{2}{3}$ $\dfrac{7}{4} = 1\dfrac{3}{4}$

$\dfrac{8}{5} = 1\dfrac{3}{5}$ $\dfrac{6}{4} = 1\dfrac{2}{4}$ $\dfrac{9}{6} = 1\dfrac{3}{6}$

$\dfrac{8}{3} = 2\dfrac{2}{3}$ $\dfrac{10}{8} = 1\dfrac{2}{8}$ $\dfrac{7}{2} = 3\dfrac{1}{2}$

$\dfrac{11}{6} = 1\dfrac{5}{6}$ $\dfrac{10}{4} = 2\dfrac{2}{4}$ $\dfrac{12}{7} = 1\dfrac{5}{7}$

사고력을 키우는 팩토 연산 · 23

1 C05

P 24 ~ 25

3 일차

🔹 주어진 대분수만큼 색칠하고, 가분수로 나타내시오.

$1\dfrac{1}{3}$ (이 1개 / 이 1개) → (이 4개) → $\dfrac{4}{3}$

$2\dfrac{1}{3}$ (이 2개 / 이 1개)  (이 7개) → $\dfrac{7}{3}$

$2\dfrac{3}{4}$ (이 2개 / 이 3개)  (이 11개) → $\dfrac{11}{4}$

$1\dfrac{2}{5}$ (이 1개 / 이 2개)  (이 7개) → $\dfrac{7}{5}$

24 · C05 분수 · 소수의 덧셈과 뺄셈

🔹 대분수를 가분수로 나타내시오.

$1\dfrac{2}{3} = \dfrac{5}{3}$ $1\dfrac{1}{4} = \dfrac{5}{4}$ $1\dfrac{3}{5} = \dfrac{8}{5}$

$1\dfrac{3}{4} = \dfrac{7}{4}$ $1\dfrac{2}{7} = \dfrac{9}{7}$ $1\dfrac{1}{6} = \dfrac{7}{6}$

$3\dfrac{1}{2} = \dfrac{7}{2}$ $2\dfrac{1}{3} = \dfrac{7}{3}$ $2\dfrac{3}{4} = \dfrac{11}{4}$

$1\dfrac{1}{8} = \dfrac{9}{8}$ $2\dfrac{1}{5} = \dfrac{11}{5}$ $2\dfrac{4}{5} = \dfrac{14}{5}$

1 C05

학습가이드

2, 3일차에서 배운 진분수의 덧셈과 뺄셈, 가분수와 대분수의 개념을 이용하여 대분수의 덧셈과 뺄셈을 학습하는 과정입니다.

대분수의 계산은 자연수는 자연수끼리, 진분수는 진분수끼리 계산합니다. 진분수의 덧셈과 뺄셈을 학습할 때와 같이 처음부터 기계적인 계산을 하지 않도록 하고, 분수의 의미를 떠올리며 그림을 색칠하는 방법으로 계산할 수 있도록 지도해 주세요.

자연수의 덧셈과 뺄셈을 수없이 반복하여 연습했던 것처럼 대분수의 덧셈과 뺄셈도 충분히 반복 연습할 수 있는 시간이 필요합니다.

① 대분수의 덧셈

$$1\frac{2}{5} + 2\frac{4}{5} = 3 + \frac{6}{5} = 4\frac{1}{5}$$

(위: $1 + 2$, 아래: $\frac{2}{5} + \frac{4}{5}$)

② 대분수의 뺄셈

$$3\frac{1}{4} - 1\frac{2}{4} = 2\frac{5}{4} - 1\frac{2}{4} = 1\frac{3}{4}$$

(위: $2 - 1$, 아래: $\frac{5}{4} - \frac{2}{4}$)

P 26 ~ 27

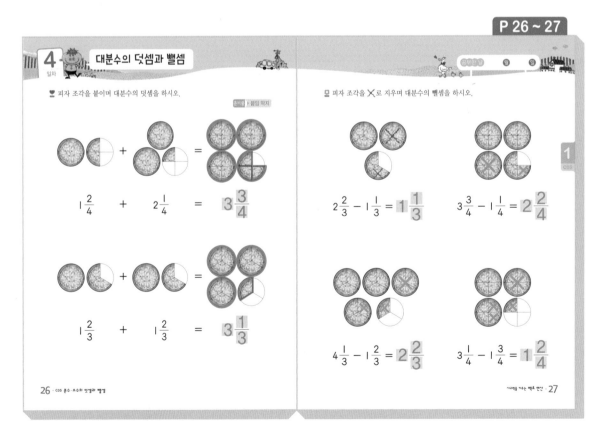

4일차 대분수의 덧셈과 뺄셈

피자 조각을 붙이며 대분수의 덧셈을 하시오.

$$1\frac{2}{4} + 2\frac{1}{4} = 3\frac{3}{4}$$

$$1\frac{2}{3} + 1\frac{2}{3} = 3\frac{1}{3}$$

피자 조각을 ✗로 지우며 대분수의 뺄셈을 하시오.

$$2\frac{2}{3} - 1\frac{1}{3} = 1\frac{1}{3}$$

$$3\frac{3}{4} - 1\frac{1}{4} = 2\frac{2}{4}$$

$$4\frac{1}{3} - 1\frac{2}{3} = 2\frac{2}{3}$$

$$3\frac{1}{4} - 1\frac{3}{4} = 1\frac{2}{4}$$

P 28 ~ 29

4
일차

◎ 대분수의 덧셈과 뺄셈을 하시오.

$$1\frac{2}{5} + 2\frac{4}{5} = 3 + \frac{6}{5} = 4\frac{1}{5}$$

$2\frac{1}{3} + 1\frac{1}{3} = 3\frac{2}{3}$ $3\frac{4}{7} + 2\frac{1}{7} = 5\frac{5}{7}$

$4\frac{3}{6} + 3\frac{2}{6} = 7\frac{5}{6}$ $2\frac{4}{5} + 1\frac{3}{5} = 4\frac{2}{5}$

$1\frac{2}{3} + 3\frac{2}{3} = 5\frac{1}{3}$ $5\frac{2}{4} + 3\frac{3}{4} = 9\frac{1}{4}$

$$3\frac{1}{4} - 1\frac{2}{4} = 2\frac{5}{4} - 1\frac{2}{4} = 1\frac{3}{4}$$

$3\frac{3}{4} - 2\frac{1}{4} = 1\frac{2}{4}$ $6\frac{4}{5} - 1\frac{3}{5} = 5\frac{1}{5}$

$5\frac{5}{6} - 3\frac{2}{6} = 2\frac{3}{6}$ $5\frac{2}{7} - 1\frac{3}{7} = 3\frac{6}{7}$

$4\frac{1}{3} - 1\frac{2}{3} = 2\frac{2}{3}$ $7\frac{1}{4} - 2\frac{3}{4} = 4\frac{2}{4}$

1

P 30 ~ 31

4
일차

◎ 대분수의 덧셈과 뺄셈을 하시오.

$3\frac{1}{4} + 2\frac{1}{4} = 5\frac{2}{4}$ $2\frac{1}{5} + 1\frac{2}{5} = 3\frac{3}{5}$

$1\frac{3}{6} + 3\frac{1}{6} = 4\frac{4}{6}$ $3\frac{2}{7} + 4\frac{2}{7} = 7\frac{4}{7}$

$2\frac{2}{3} + 3\frac{2}{3} = 6\frac{1}{3}$ $1\frac{3}{5} + 1\frac{4}{5} = 3\frac{2}{5}$

$6\frac{4}{8} + 2\frac{3}{8} = 8\frac{7}{8}$ $2\frac{4}{6} + 4\frac{5}{6} = 7\frac{3}{6}$

$2\frac{3}{4} + 1\frac{3}{4} = 4\frac{2}{4}$ $4\frac{4}{7} + 3\frac{6}{7} = 8\frac{3}{7}$

$4\frac{2}{4} - 2\frac{1}{4} = 2\frac{1}{4}$ $7\frac{4}{5} - 1\frac{2}{5} = 6\frac{2}{5}$

$6\frac{5}{7} - 5\frac{2}{7} = 1\frac{3}{7}$ $5\frac{7}{9} - 1\frac{3}{9} = 4\frac{4}{9}$

$4\frac{1}{3} - 1\frac{2}{3} = 2\frac{2}{3}$ $7\frac{2}{4} - 2\frac{3}{4} = 4\frac{3}{4}$

$9\frac{1}{5} - 2\frac{4}{5} = 6\frac{2}{5}$ $6\frac{3}{7} - 4\frac{6}{7} = 1\frac{4}{7}$

$3\frac{2}{6} - 1\frac{4}{6} = 1\frac{4}{6}$ $5\frac{1}{8} - 2\frac{5}{8} = 2\frac{4}{8}$

1

 학습가이드

분수의 또다른 표현 방법인 소수에 대해 알아보고, 소수 두 자리 수의 범위에서 소수의 덧셈과 뺄셈에 대해 학습하는 과정입니다.

소수의 덧셈과 뺄셈을 배우는 이유는 분수에 비해 전체의 양을 직관적으로 이해하기 쉽고 생활 속의 정확한 수치 비교가 쉽기 때문입니다. 예를 들어 키나 체중의 연속량의 크기를 비교할 때 이용됩니다. 또한 소수도 십진법의 원리가 적용되므로 소수의 덧셈과 뺄셈은 자연수의 덧셈과 뺄셈에서 확장하여 지도해 주세요.

① 분수와 소수

$$\frac{1}{100} = 0.01$$
(영점 영일)

② 소수의 덧셈과 뺄셈

$$
\begin{array}{r}
11 \\
2.5\,9 \\
+\ 1.7\,6 \\
\hline
4.3\,5
\end{array}
\qquad
\begin{array}{r}
2\ 13\ 10 \\
\cancel{3}.\cancel{4}\,2 \\
-\ 1.8\,9 \\
\hline
1.5\,3
\end{array}
$$

P 32 ~ 33

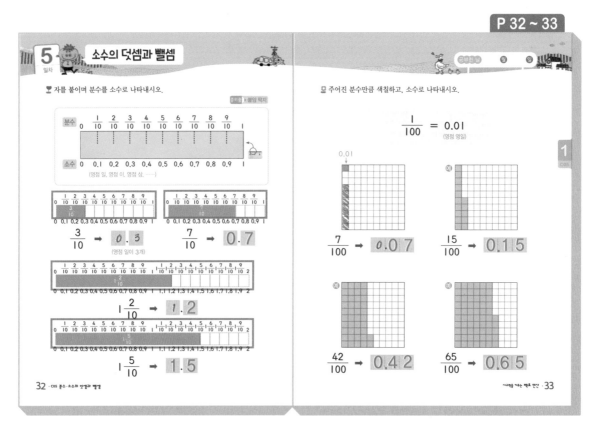

P 34 ~ 35

5 일차

소수의 덧셈과 뺄셈을 하시오.

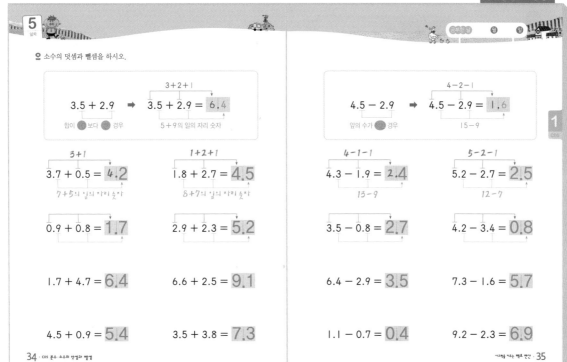

$$3.5 + 2.9 \Rightarrow \overset{3+2+1}{3.5 + 2.9} = 6.4$$

합이 ●보다 ● 경우 — 5+9의 일의 자리 숫자

$$4.5 - 2.9 \Rightarrow \overset{4-2-1}{4.5 - 2.9} = 1.6$$

앞의 수가 ● 경우 — 15−9

$$\overset{3+1}{3.7 + 0.5} = 4.2$$

7+5의 일의 자리 숫자

$$\overset{1+2+1}{1.8 + 2.7} = 4.5$$

8+7의 일의 자리 숫자

$$\overset{4-1-1}{4.3 - 1.9} = 2.4$$

13−9

$$\overset{5-2-1}{5.2 - 2.7} = 2.5$$

12−7

$$0.9 + 0.8 = 1.7$$

$$2.9 + 2.3 = 5.2$$

$$3.5 - 0.8 = 2.7$$

$$4.2 - 3.4 = 0.8$$

$$1.7 + 4.7 = 6.4$$

$$6.6 + 2.5 = 9.1$$

$$6.4 - 2.9 = 3.5$$

$$7.3 - 1.6 = 5.7$$

$$4.5 + 0.9 = 5.4$$

$$3.5 + 3.8 = 7.3$$

$$1.1 - 0.7 = 0.4$$

$$9.2 - 2.3 = 6.9$$

34 · C05 분수·소수의 덧셈과 뺄셈

사고력을 키우는 팩토 연산 · 35

P 36 ~ 37

5 일차

소수점의 자리를 맞추어 덧셈과 뺄셈을 하시오.

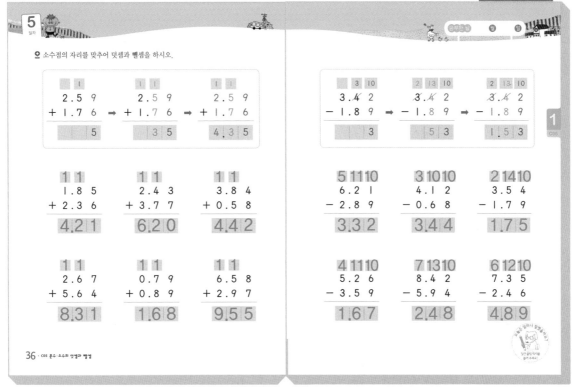

```
      1                1   1            1   1
   2.5 9           2.5 9           2.5 9
 + 1.7 6    →    + 1.7 6    →    + 1.7 6
       5           3  5          4.3 5
```

```
    3  10          2  13 10        2  13 10
 3.4 2           3.4 2           3.4 2
- 1.8 9    →    - 1.8 9    →    - 1.8 9
      3           5 3           1.5 3
```

```
  1 1            1 1            1 1
 1.8 5          2.4 3          3.8 4
+2.3 6         +3.7 7         +0.5 8
 4.2 1          6.2 0          4.4 2
```

```
 5 11 10        3 10 10        2 14 10
 6.2 1          4.1 2          3.5 4
-2.8 9         -0.6 8         -1.7 9
 3.3 2          3.4 4          1.7 5
```

```
  1 1            1 1            1 1
 2.6 7          0.7 9          6.5 8
+5.6 4         +0.8 9         +2.9 7
 8.3 1          1.6 8          9.5 5
```

```
 4 11 10        7 13 10        6 12 10
 5.2 6          8.4 2          7.3 5
-3.5 9         -5.9 4         -2.4 6
 1.6 7          2.4 8          4.8 9
```

36 · C05 분수·소수의 덧셈과 뺄셈

P 38 ~ 39

분수·소수의 덧셈과 뺄셈 **연산 실력 체크**

정답 수 / 40개
날짜 월 일

🔖 2~4주 사고력 연산을 학습하기 전에 기본 연산 실력을 점검해 보세요.

🏆 그림을 분수로 나타내거나, ◯ 안에 >, <를 알맞게 써넣으시오.

1. $\dfrac{1}{4}$

2. $\dfrac{3}{5}$

3. $\dfrac{4}{6}$

4. $\dfrac{2}{5}$ < $\dfrac{4}{5}$

5. $\dfrac{1}{2}$ > $\dfrac{1}{3}$

6. $\dfrac{2}{5}$ < $\dfrac{2}{3}$

🏅 대분수는 가분수로, 가분수는 대분수로 나타내어 보시오.

7. $\dfrac{7}{2} = 3\dfrac{1}{2}$

8. $\dfrac{5}{3} = 1\dfrac{2}{3}$

9. $\dfrac{8}{5} = 1\dfrac{3}{5}$

10. $1\dfrac{1}{4} = \dfrac{5}{4}$

11. $2\dfrac{1}{3} = \dfrac{7}{3}$

12. $1\dfrac{4}{5} = \dfrac{9}{5}$

연산 실력 체크 123

🏅 계산을 하시오.

13. $\dfrac{1}{3} + \dfrac{1}{3} = \dfrac{2}{3}$

14. $\dfrac{3}{5} + \dfrac{1}{5} = \dfrac{4}{5}$

15. $\dfrac{2}{7} + \dfrac{3}{7} = \dfrac{5}{7}$

16. $\dfrac{3}{4} - \dfrac{2}{4} = \dfrac{1}{4}$

17. $\dfrac{4}{6} - \dfrac{1}{6} = \dfrac{3}{6}$

18. $\dfrac{5}{7} - \dfrac{3}{7} = \dfrac{2}{7}$

19. $\dfrac{3}{4} + \dfrac{2}{4} = 1\dfrac{1}{4} , \dfrac{5}{4}$

20. $\dfrac{4}{5} + \dfrac{4}{5} = 1\dfrac{3}{5} , \dfrac{8}{5}$

21. $1\dfrac{1}{3} + 2\dfrac{1}{3} = 3\dfrac{2}{3} , \dfrac{11}{3}$

22. $2\dfrac{2}{7} + 2\dfrac{4}{7} = 4\dfrac{6}{7} , \dfrac{34}{7}$

23. $1\dfrac{4}{5} + 1\dfrac{3}{5} = 3\dfrac{2}{5} , \dfrac{17}{5}$

24. $2\dfrac{5}{8} + 3\dfrac{6}{8} = 6\dfrac{3}{8} , \dfrac{51}{8}$

P 40 ~ 41

분수·소수의 덧셈과 뺄셈

25. $4\dfrac{2}{3} - \dfrac{1}{3} = 4\dfrac{1}{3} , \dfrac{13}{3}$

26. $3\dfrac{3}{4} - 2\dfrac{1}{4} = 1\dfrac{2}{4} , \dfrac{6}{4}$

27. $6\dfrac{5}{7} - 4\dfrac{2}{7} = 2\dfrac{3}{7} , \dfrac{17}{7}$

28. $8\dfrac{5}{6} - 2\dfrac{3}{6} = 6\dfrac{2}{6} , \dfrac{38}{6}$

29. $4\dfrac{1}{5} - 1\dfrac{2}{5} = 2\dfrac{4}{5} , \dfrac{14}{5}$

30. $5\dfrac{2}{6} - 3\dfrac{4}{6} = 1\dfrac{4}{6} , \dfrac{10}{6}$

31. $3.4 + 2.9 = 6.3$

32. $1.7 + 6.5 = 8.2$

33. $4.7 - 3.3 = 1.4$

34. $6.2 - 1.8 = 4.4$

35. $8.4 - 5.9 = 2.5$

36.
$$\begin{array}{r} 2.46 \\ +1.25 \\ \hline 3.71 \end{array}$$

37.
$$\begin{array}{r} 4.58 \\ +1.79 \\ \hline 6.37 \end{array}$$

연산 실력 체크 123

38.
$$\begin{array}{r} 4.79 \\ -1.32 \\ \hline 3.47 \end{array}$$

39.
$$\begin{array}{r} 3.14 \\ -1.09 \\ \hline 2.05 \end{array}$$

40.
$$\begin{array}{r} 6.41 \\ -2.87 \\ \hline 3.54 \end{array}$$

연산 실력 분석

오답 수에 맞게 학습을 진행하시기 바랍니다.

평가	오답 수	학습 방법
최고예요	0 ~ 2개	전반적으로 학습 내용에 대해 정확히 이해하고 있으며 매우 우수합니다. 기본 연산 문제를 자신 있게 풀 수 있는 실력을 갖추었으므로 이제는 사고력을 향상시킬 차례입니다. 2주차부터 차근차근 학습을 진행해 보세요. 학습 [2주차] → [3주차] → [4주차]
잘했어요	3 ~ 4개	기본 연산 문제를 전반적으로 잘 이해하고 풀었지만 약간의 실수가 있는 것 같습니다. 틀린 문제를 다시 한 번 풀어 보고, 문제를 차근차근 푸는 습관을 갖도록 노력해 보세요. 매스티안 홈페이지에서 제공하는 보충 학습으로 연산 실력을 향상시킨 후 2, 3, 4주차 학습을 진행해 주세요. 학습 [틀린 문제 복습] → [보충 학습] → [2주차] → …
노력해요	5개 이상	개념을 정확히 이해하고 있지 않아 연산을 하는데 어려움이 있습니다. 개념을 이해한 후 연산 문제를 반복해서 연습해 보세요. 매스티안 홈페이지에서 제공하는 보충 학습이 연산 실력을 향상시키는데 도움이 될 것입니다. 어려운도 곧 해결이 될 수 있습니다. 조금만 힘을 내 주세요. 학습 [1주차 원리 중심 복습] → [보충 학습] → [2주차] → …

매스티안 홈페이지 : www.mathtian.com

P 44 ~ 45

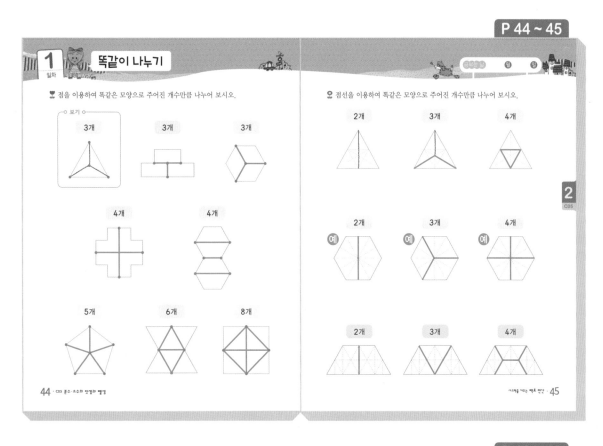

P 46 ~ 47

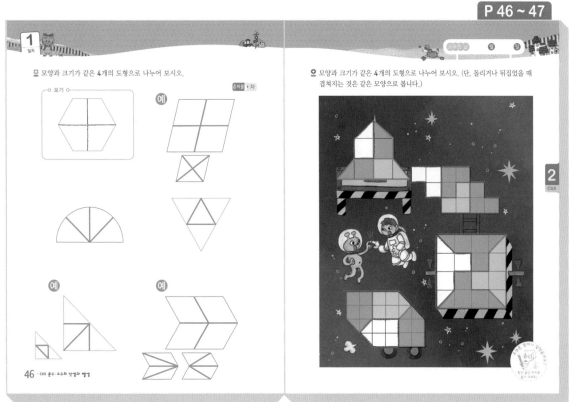

P 48 ~ 49

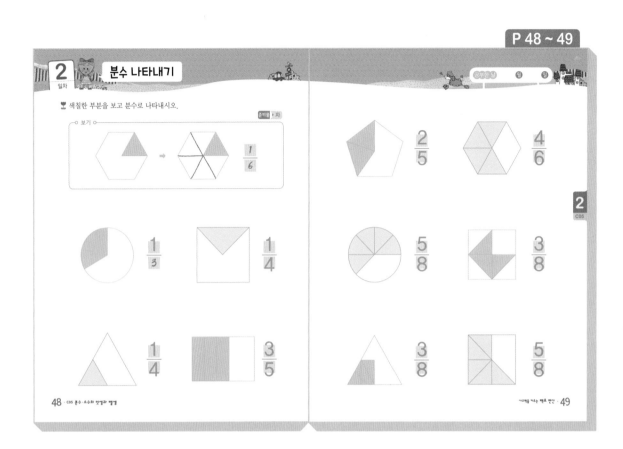

P 50 ~ 51

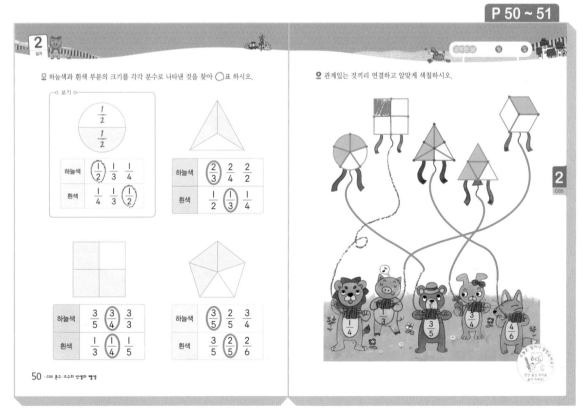

P 52 ~ 53

3 일차 분수의 크기 비교

주어진 분수만큼 나누어 색칠하고 ● 안에 >, <를 알맞게 써넣으시오.

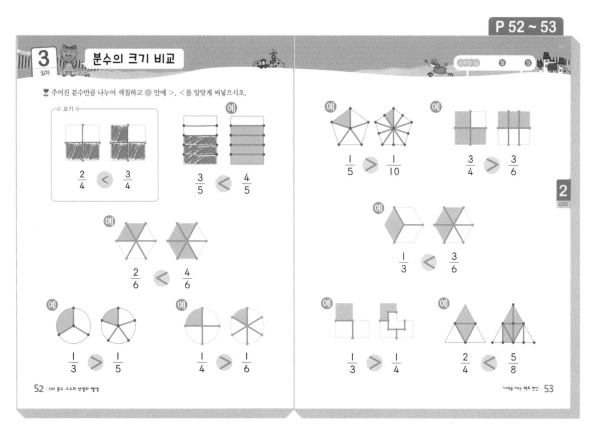

52 · C05 분수·소수의 덧셈과 뺄셈

사고력을 키우는 팩토 연산 · 53

P 54 ~ 55

3 일차

분수만큼 색칠하여 크기가 큰 순서대로 쓰고, 알맞은 말에 ○표 하시오.

갈림길에서 푯말의 조건에 알맞게 길을 따라가시오.

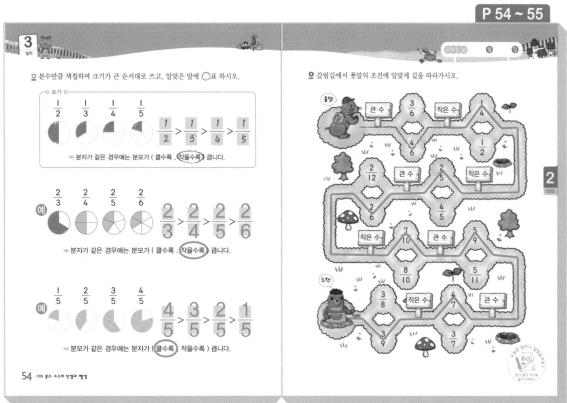

54 · C05 분수·소수의 덧셈과 뺄셈

P 56 ~ 57

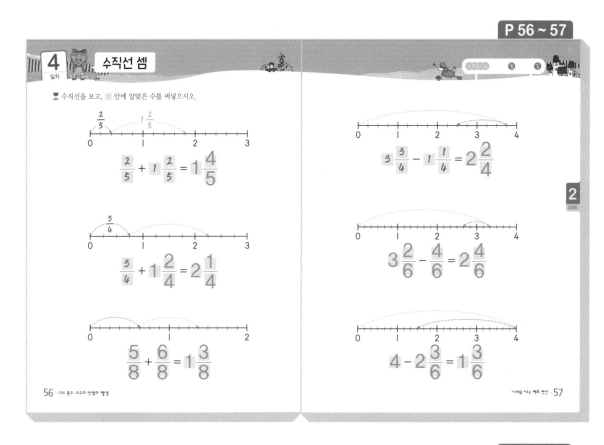

P 58 ~ 59

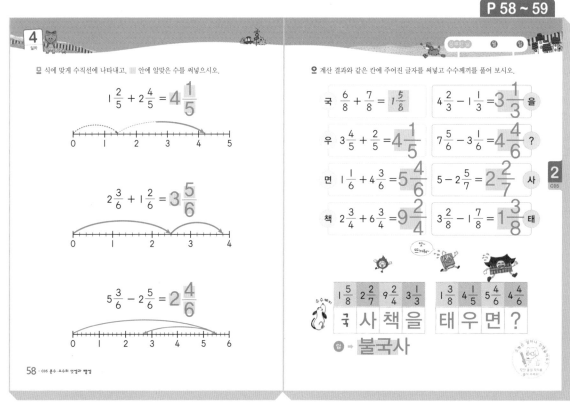

P 60 ~ 61

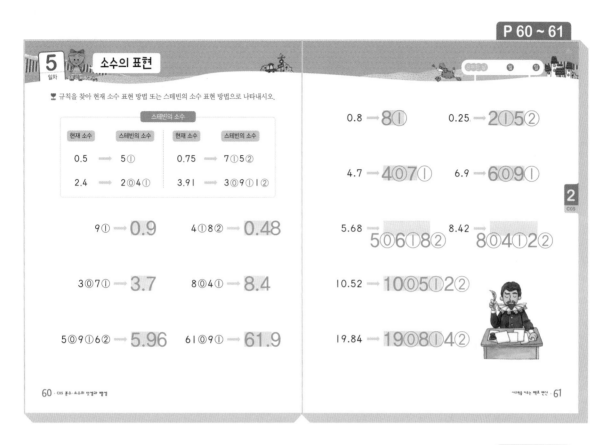

P 62 ~ 63

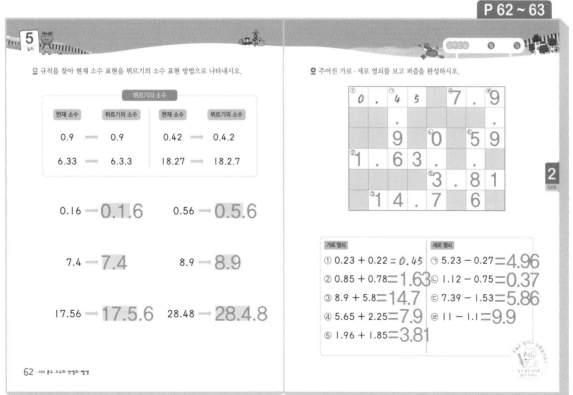

P 66 ~ 67

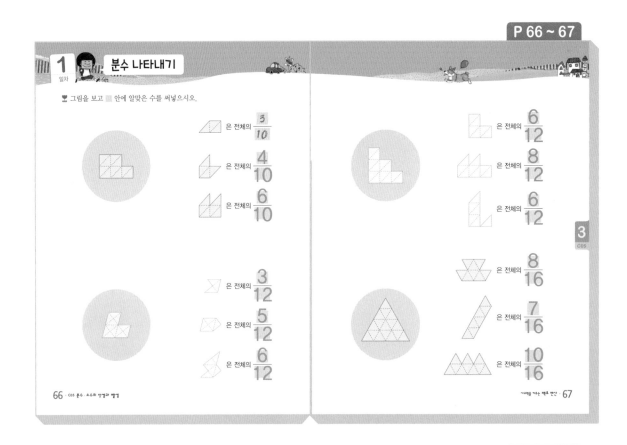

P 68 ~ 69

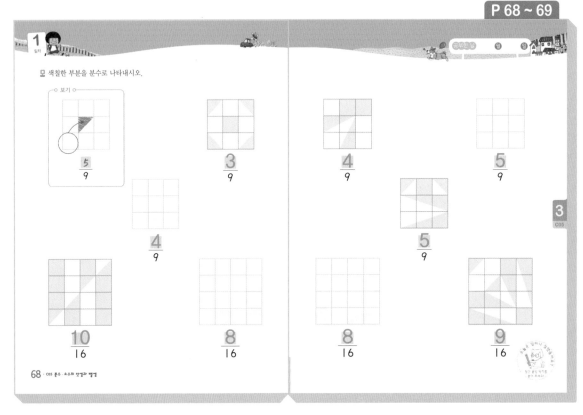

P 70 ~ 71

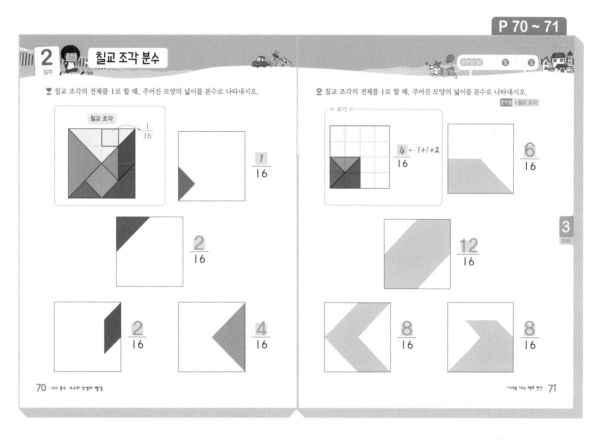

P 72 ~ 73

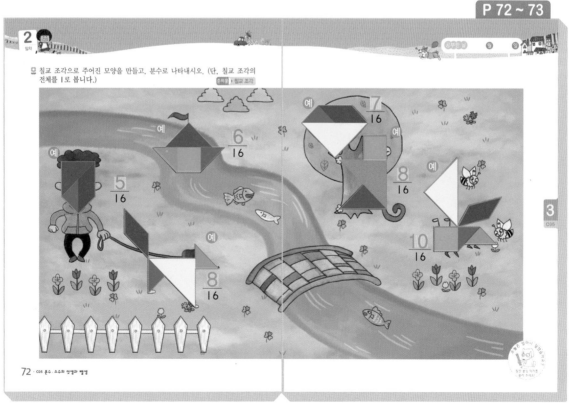

P 74 ~ 75

3 일차 도형 나누기

각 도형을 똑같은 모양으로 주어진 개수만큼 나누어 보시오.

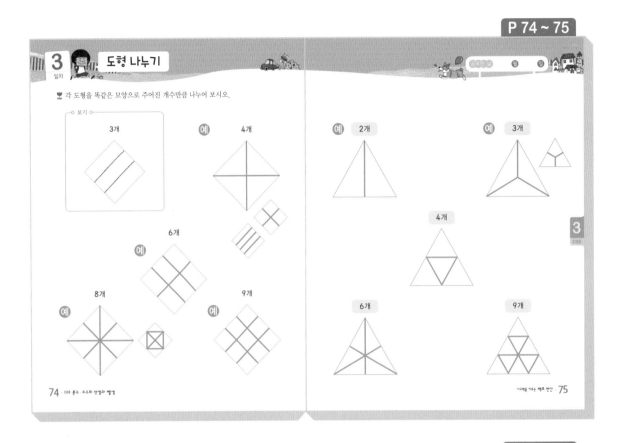

P 76 ~ 77

3 일차

모양과 크기가 같은 **4개**의 도형으로 나누어 보시오. (단, 돌리거나 뒤집었을 때 겹쳐지는 것은 같은 모양으로 봅니다.)

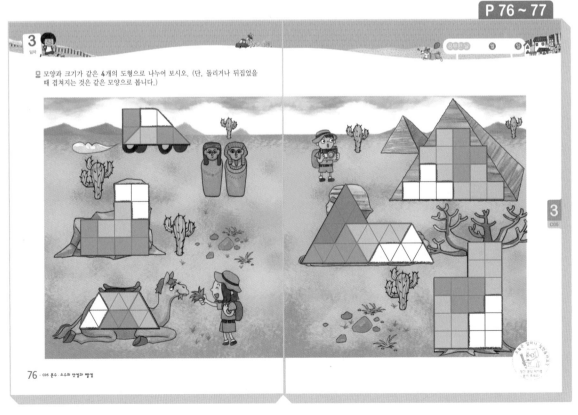

P 78 ~ 79

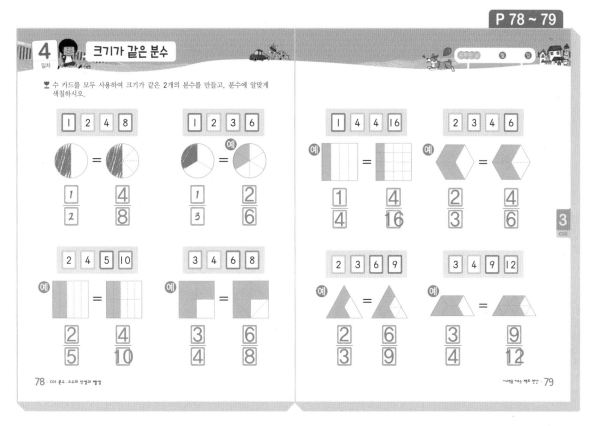

P 80 ~ 81

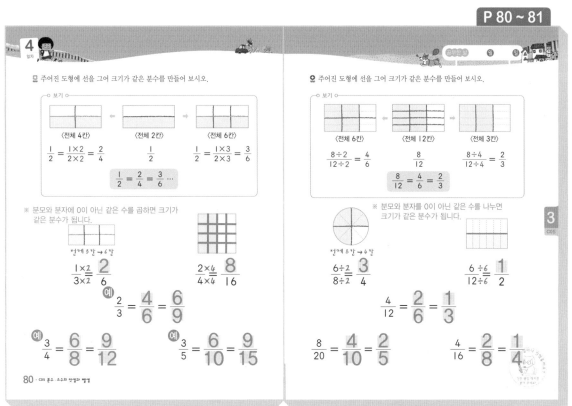

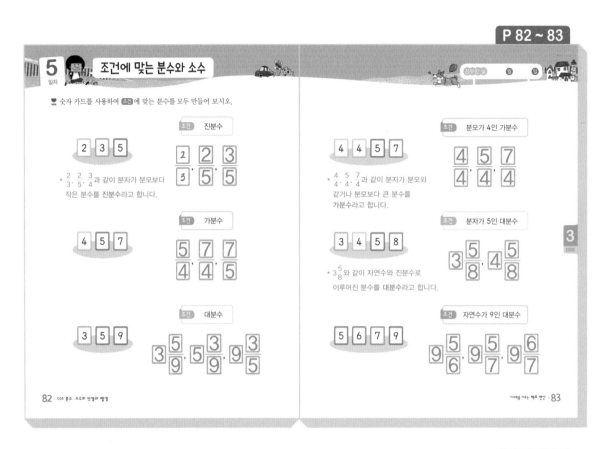

P 88 ~ 89

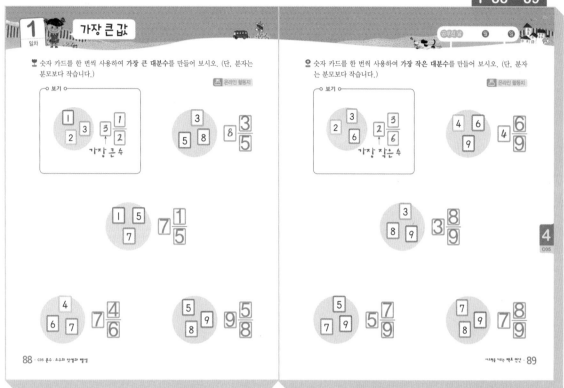

P 90 ~ 91

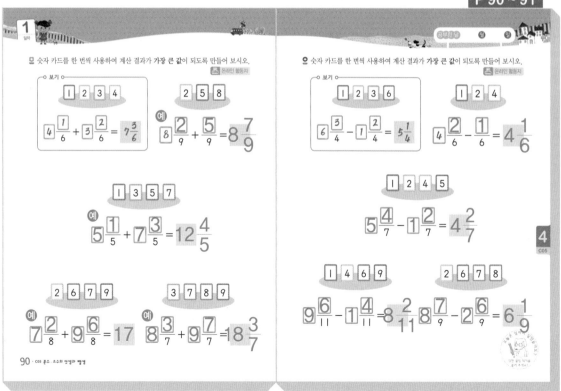

P 92 ~ 93

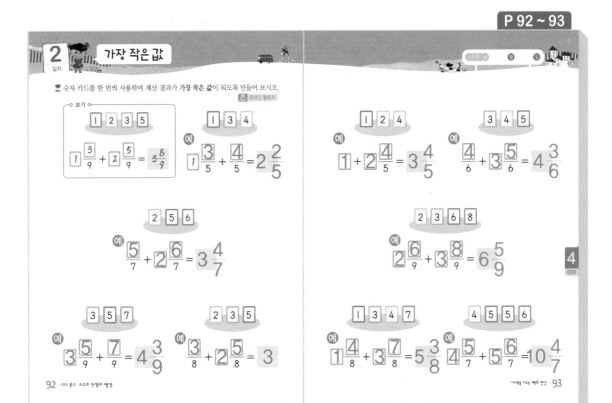

P 94 ~ 95

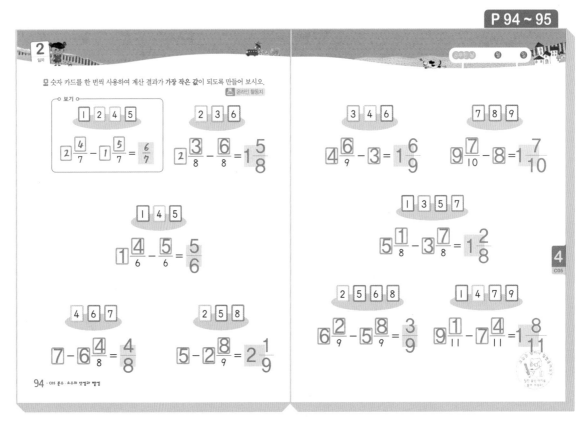

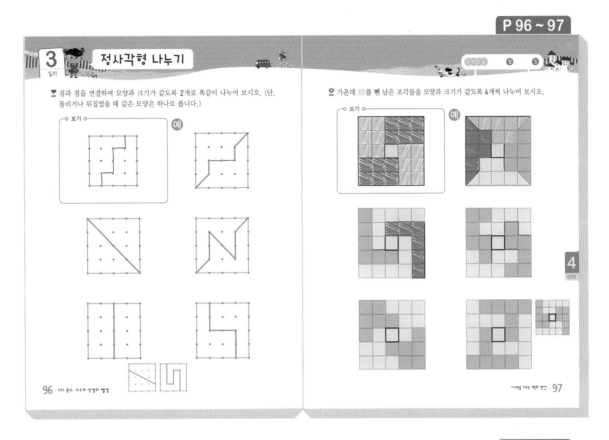

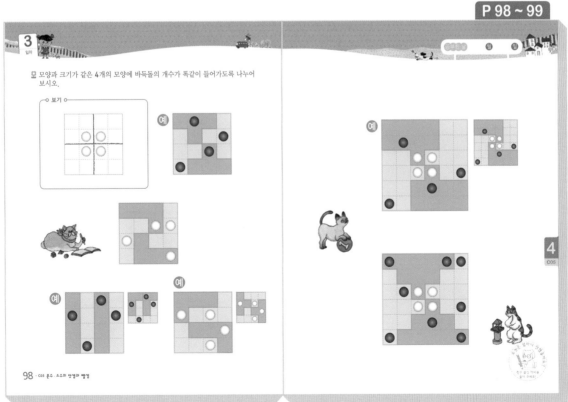

P 100 ~ 101

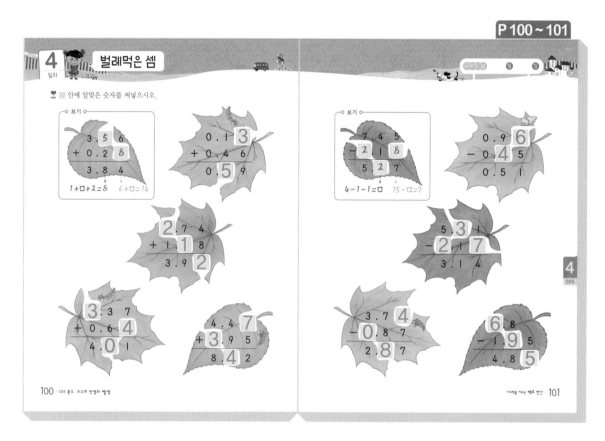

P 102 ~ 103

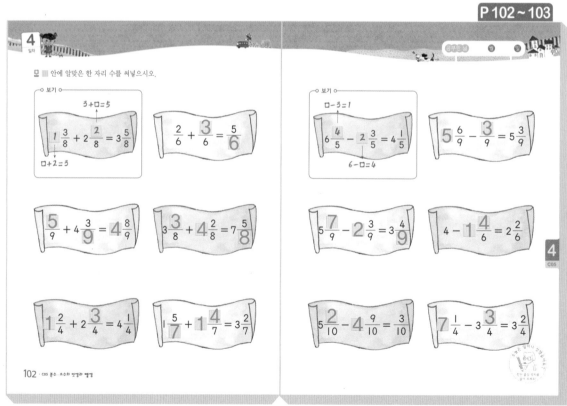

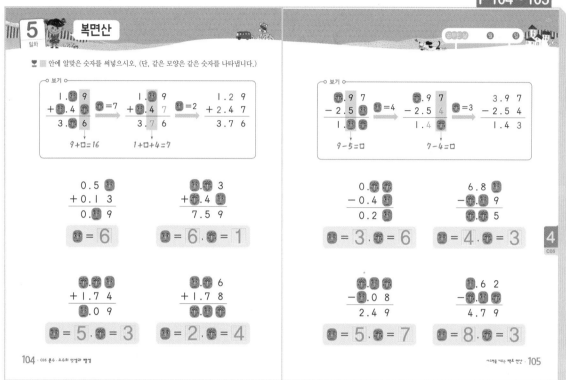

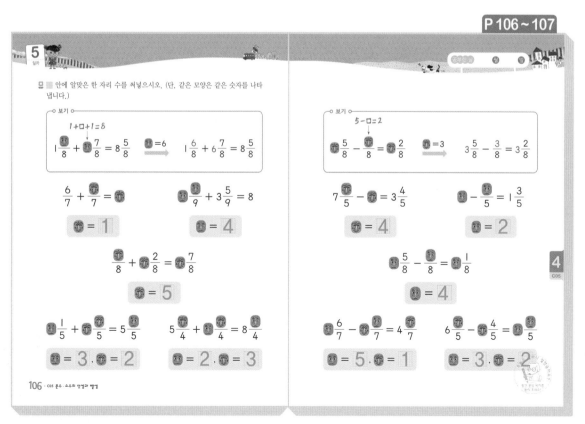

104 · C05 분수·소수의 덧셈과 뺄셈

사고력을 키우는 팩토 연산 · 105

106 · C05 분수·소수의 덧셈과 뺄셈

memo

상 장

이 름 : _____

위 어린이는 **팩토 연산 C05권**을

창의적인 생각과 노력으로 성실히

잘 풀었으므로 이 상장을 드립니다.

20 년 월 일

매 스 티 안

위 상장은 8"＊10"(20.3＊25.4cm)액자에 넣을 수 있도록 제작하였습니다.

본 책을 마친 아이들에게 위 상장을 수여하며 아낌없는 칭찬과 힘찬 박수를 보내 주세요.
아이들은 칭찬을 받으면 받을수록 수학에 대한 자신감이 더 생길 것입니다.

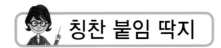